¡ZOOM!

Camilla de la Bédoyère

DESCUBRE EL **MUNDO INVISIBLE** DE LA **NATURALEZA**

LAROUSSE

Título original: *Zoom!*

Copyright © QED Publishing 2011

Publicado originalmente en el Reino Unido en 2011
por QED Publishing, una compañía de Quarto Group
226 City Road
Londres EC1V 2TT

www.qed-publishing.co.uk

D.R. © MMXI Ediciones Larousse, S.A de C.V.
Renacimiento 180, México 02400, D.F.

Primera edición en español

ISBN: 978-1-84835-803-4 (QED)
978-607-21-0379-5 (Larousse)

Impreso en China - *Printed in China*

EDICIÓN ORIGINAL
Autor: Camilla de la Bédoyère
Edición: Amanda Askew
Diseño: Andrew Crowson
Investigación fotográfica: Maria Joannou

EDICIÓN EN ESPAÑOL
Dirección editorial: Tomás García Cerezo
Gerencia editorial: Jorge Ramírez Chávez
Traducción y formación: Ediciones Larousse, S.A.
de C.V., con la colaboración de Delgado &
Ribenack, Traductores Asociados, S.C.
Edición técnica: Roberto Gómez Martínez,
Susana Cardoso Tinoco, Javier Cadena Contreras
Adaptación de portada: Pacto Publicidad, S.A.

▼ Las moscas tienen un cuerpo aerodinámico corto. Tienen ojos compuestos a cada lado de la cabeza y antenas pequeñas. Sólo comen alimentos líquidos.

Las palabras en **negrita** se pueden encontrar en el Glosario en las páginas 112-114.

CONTENIDO

VIDA MARINA

MIRA DE CERCA...

...el mundo de los insectos, las aves, la vida marina y las plantas, y comienza un viaje que te llevará a un lugar oculto, lleno de misterios y sorpresas. Con este increíble libro podrás imaginar cómo se siente ser tan diminuto como un insecto, o tener alas, o vivir bajo el agua, o ser una planta microscópica. Prepárate para descubrir cosas fascinantes y mirar de cerca el mundo de una forma que jamás imaginaste. ¡Es el momento de MIRAR DE CERCA!

Acércate

Mira una hormiga, una pluma, una hoja o un alga marina por el microscopio o con una **lente macro** de una cámara, y verás que parece más grande que en la vida real. Un microscopio utiliza lentes para ampliar cientos de veces la imagen de cosas muy pequeñas. Los microscopios modernos usan otras técnicas para ampliar los objetos varias miles de veces.

Casi real

Donde veas el icono "TAMAÑO REAL", la fotografía muestra el tamaño en la vida real, ¡como si estuviera ahí sobre la página! Compáralos con un clip para que te des cuenta de su tamaño.

TAMAÑO REAL

Macrofotografía

El arte de tomar fotos de cosas pequeñas muy de cerca se llama macrofotografía. Con el uso de estas y otras técnicas, los fotógrafos y científicos nos han ayudado a descubrir un mundo desconocido, permitiéndonos mirar el mundo de cerca. Las imágenes con el icono de ZOOM te indican cuántas veces se ha ampliado la imagen.

ZOOM x2

Adivina

¿QUÉ ES? Las imágenes te permiten usar tu capacidad de investigación para adivinar qué insecto podría ser. Luego, sólo da vuelta a la página y sabrás QUE ES...

¿QUÉ ES?

ZOOM x3

INSECTOS

LISTO PARA LA ACCIÓN

La mayoría de los insectos son tan pequeños que pueden ocultarse con facilidad. Así que si tu supervivencia depende de buscar y capturar miles de ellos, más vale que estés bien equipado. Los **mántidos** lo tienen todo: excelente vista, reacciones inmediatas a la luz y patas cubiertas con púas.

Grandes ojos en el frente de la cabeza, para que pueda saber qué tan lejos está su presa.

Patas delanteras cubiertas de púas para crear una trampa cuando las flexiona sobre su presa.

ZOOM x9

Espera y verás

La mayoría de los mántidos son verdes y pueden esconderse de sus presas entre las hojas. Se quedan absolutamente inmóviles, pero alertas y listos para la acción. Cuando ven que el almuerzo se acerca, se preparan para el ataque y en menos de una milésima de segundo lo atrapan, esto es 300 veces más rápido que un parpadeo.

Mantis religiosa

ZOOM x3

ZOOM x4

Poses de ataque

Los mántidos flexionan sus patas frontales y adoptan una extraña pose, como si rezaran. En realidad, sus piernas con púas están listas para una actividad menos pacífica. Rápido y fuerte, sus patas de pinza pueden atrapar y aplastar un insecto en menos de un segundo.

Mientras que la mitad delantera del cuerpo se lanza hacia delante, la mitad posterior no se mueve.

CURIOSIDADES

Algunos mántidos son tan grandes que cazan presas más grandes que ellos. Atacan aves y lagartijas.

DATOS GENERALES

Nombre común	Mantis religiosa
Nombre en latín	*Mantidae*
Tamaño	12 a 150 mm de longitud
Hábitat	Bosques
Particularidad	Depredador ultrarrápido

Insectos hoja

Este gigantesco insecto hoja se ha camuflado fingiendo ser parte de una planta. Mimetismo es la propiedad de los animales de hacerce pasar por otra cosa. Mira de cerca y verás sus 'nervaduras' y bordes marrones falsos, igual que una hoja real.

CÓMO CRECEN

Mira con atención el mundo de los insectos y descubrirás los cambios increíbles que tienen en su ciclo de vida. Tomemos un feo moscardón como ejemplo. Con sus grandes ojos, cuerpo peludo y la verde **cutícula**, esta mosca es fácil de reconocer. Pero, ¿podrías reconocerla cuando es bebé?

◄ Los moscardones con un brillo verde metálico se llaman moscardones verde botella.

ZOOM x 14

Todo cambia

*La mayoría de los insectos comienzan su vida con un aspecto totalmente diferente al que tendrán de adultos. Sufren cambios extraordinarios a medida que crecen. Cada cambio es una **metamorfosis**, es decir, un "cambio de forma".*

El ciclo de vida del moscardón

1 *Una hembra huele carroña, heridas abiertas o carne. En minutos, llega y pone unos 250 huevecillos. Sólo 24 horas después, los huevecillos revientan y salen diminutos **gusanos**, llamados cresas o **larvas**.*

2 *Las larvas se alimentan de carne u otros restos y crecen hasta **mudar**. Después de dos mudas, son mucho más grandes y pronto estarán listas para la metamorfosis.*

3 *Cada larva se envuelve en un saco duro y oscuro para convertirse en una **pupa**.*

4 *Transcurren al menos seis días para que la pupa se transforme en adulto. Cuando la pupa se rompe, emerge un moscardón adulto.*

Saco sedoso

Al convertirse en crisálidas, algunos insectos se envuelven en un **capullo** de seda, que producen con glándulas especiales. Las larvas de la mariposa de la seda se cultivan en grandes granjas, y la seda de sus capullos se utiliza para elaborar tejidos de seda.

Me aprieta

Cuando un insecto crece, se vuelve demasiado grande para su piel dura o cutícula. La solución más sencilla es quitarse la piel vieja —esto se llama mudar— para revelar una cutícula nueva y más grande.

ZOOM x 12

TAMAÑO REAL

Gusanos gigantes

La larva del escarabajo hércules puede alcanzar 16 cm de largo y 150 g de peso, y es uno de los gusanos más grandes del mundo. Se alimenta de madera suave en putrefacción.

¿QUÉ es?

ZOOM x 160

INSECTOS DE OJOS GRANDES

¿Cuánto podrías ver si toda tu cabeza estuviera cubierta por ojos? Los miembros de la familia de las libélulas tienen la suerte de tener ojos enormes y excelente vista. Su vista es tan buena que pueden ver en casi todas las direcciones. Pueden ver los colores (excepto el rojo) e incluso la luz **ultravioleta**, que es un tipo de luz que los humanos no podemos ver.

Con miles de lentes en cada ojo, la libélula puede detectar el menor movimiento.

Como todos los insectos, la libélula tiene seis patas.

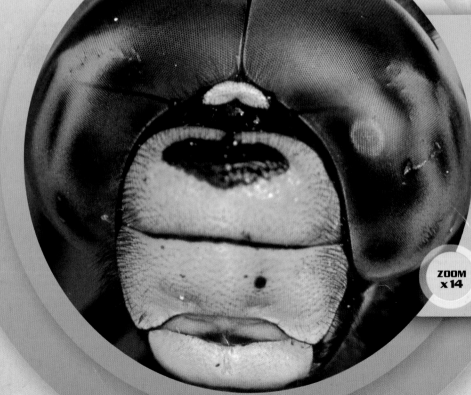

ZOOM x14

Un truco de la luz

La libélula esna azul tiene 30 000 lentes en cada ojo. Una lente enfoca la luz que entra en los ojos y los nervios llevan la imagen al cerebro, que toma las 60 000 imágenes y las convierte en una excepcional habilidad para ver. Los ojos de los insectos detectan el movimiento muy bien. Los ojos humanos sólo tienen una lente cada uno, pero la calidad de las imágenes que nuestro cerebro puede ver es mucho mejor.

Sus resistentes alas transparentes le hacen volar con potencia.

ZOOM x13

Acrobacias aéreas

Las libélulas no sólo tienen una magnífica vista, también son de los mejores voladores del mundo. Puden girar y voltear cada una de sus largas alas de forma independiente, por lo que pueden volar hacia delante, hacia atrás, cambiar de dirección rápidamente y quedar suspendidas en el aire.

Cuerpo alargado.

Libélula

ZOOM x5

CURIOSIDADES

Las libélulas prehistóricas eran enormes; ¡entre ala y ala medían 75 centímetros!

DATOS GENERALES

Nombre común	Libélula esna azul
Nombre en latín	*Aeshna cyanea*
Tamaño	70 mm de longitud
Hábitat	Cerca de estanques y ríos, en los jardines y bosques
Particularidad	Excelente voladora

es...

la larva de una libélula. Estos jóvenes se llaman ninfas (o náyades) y viven en el agua, donde cazan gusanos, renacuajos e incluso pequeños peces. En la cabeza tienen unas tenazas como si fueran mandíbulas y las utilizan para agarrar a su presa.

MANDÍBULAS Y GARRAS

Abajo, en el turbio y oscuro mundo de los
insectos, ¡hay una guerra! Incluso los tolerantes
herbívoros necesitan armas para defenderse.
La boca a menudo tiene que hacer dos
tareas: matar y comer. Las mandíbulas
y garras tienen diversas formas y
tamaños, y se adaptan al estilo
de vida de cada insecto.

◀ Las arañas camello pueden
alcanzar hasta 15 centímetros de
longitud. Tienen dos poderosas
tenazas unidas al frente de sus
enormes mandíbulas.

Mandíbulas gigantes

*Las arañas camello están equipadas para la
batalla. Sus mandíbulas llegan a medir hasta un
tercio del tamaño de su cuerpo. Las utilizan para
combatir a los depredadores o para agarrar a
su presa, como las lagartijas. Luego, vierten sus
jugos digestivos sobre sus presas antes de
comérselas.*

¿QUÉ
es?

ZOOM
x20

os **antenas** en las ue sienten vibraciones, tacto y el gusto.

Dos ojos principales para detectar el movimiento.

Mandíbulas fuertes para cortar y llevar la comida, construir nidos o morder a sus presas.

CURIOSIDADES

Las hormigas guerreras son las más grandes del mundo. Juntas, como colonia, atacan a todos los animales que encuentran, incluso serpientes y personas.

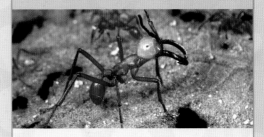

DATOS GENERALES

Nombre común	Hormiga guerrera
Nombre en latín	*Dorylus nigricans*
Tamaño	5 a 50 mm de longitud
Hábitat	Selvas tropicales y praderas
Particularidad	Pueden vivir en colonias de 20 millones de hormigas

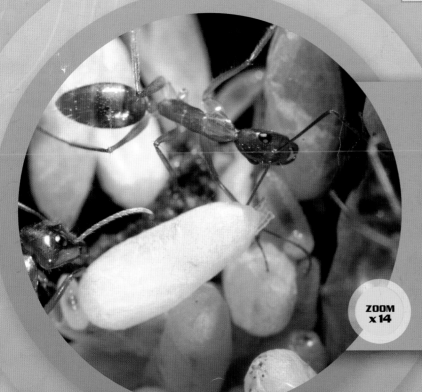

ZOOM x14

Trabajo en equipo

Las hormigas son insectos sociales porque viven y trabajan en conjunto. Una reina pone todos los huevecillos de la colonia. Las hormigas obreras son hembras sin alas (izquierda) que hacen todas las tareas, como buscar alimento, construir el nido y cuidar de los huevecillos. Las hormigas macho tienen alas y crean enjambres en época de apareamiento.

OCULTOS DE LA VISTA

Incluso con el mejor equipo fotográfico o la vista más aguda puede ser casi imposible encontrar ciertos insectos. Mira bien las fotos y te sorprenderás de los trucos que usa la naturaleza con el color, el diseño y la forma para hacer desaparecer de la vista a un animal.

◄ El camuflaje de un **saltamontes** hace que se confunda con la corteza del árbol, y sus presas o depredadores no lo pueden ver.

ZOOM x3.5

Cantos para su pareja
Cuando un insecto se disfraza de hoja o parche de musgo, ¿cómo lo encuentra su pareja? La respuesta es cantando. Los saltamontes son grillos de arbusto muy hábiles para esconderse, pero avisan a su pareja dónde se encuentran con una canción característica como "ven-por-aquí".

¿QUÉ es?

ZOOM x2

Problemas espinosos

Cuando los pulgones están plácidamente chupando la savia de un tallo, podrían ser blancos perfectos para sus depredadores. Pero el problema lo resuelven disfrazándose como parte de la planta. Los jóvenes se disfrazan de corteza nudosa color marrón, y los adultos fingen ser espinas de color verde.

ZOOM x5

Bonita como un pétalo

Una araña cangrejo se sienta inmóvil en las flores y espera tranquilamente a que su almuerzo se acerque. Estos depredadores al acecho son invisibles porque igualan perfectamente sus colores con los pétalos.

ZOOM x10

Trucos ingeniosos

Este truco funciona sin duda en las aves, que normalmente no dudarían en volar en picada para atrapar una jugosa oruga mientras come. Con su cuerpo verde, la oruga se camufla entre las hojas, pero esa espeluznante cara dibujada en la parte trasera de su cuerpo es suficiente para espantar a cualquier depredador con buena vista.

ZOOM x2

HERMOSOS INSECTOS

¿Alguna vez te has preguntado cómo hacen las mariposas para tener esos colores y diseños tan espectaculares en sus alas? El secreto está en las diminutas escamas que pueden convertir la luz en brillantes tonos azules, rojos y verdes. Algunas mariposas incluso parecen tener un brillo metálico en las alas.

Creación del color

*Las escamas superpuestas de un ala de mariposa tienen una gama de **pigmentos** de colores, brillantes "espejos" y espacios de aire. En conjunto absorben la luz ultravioleta, que nuestros ojos no pueden ver, y la convierten en manchas brillantes azul y verde. Funcionan igual que los diodos emisores de luz que se usan en los televisores.*

ZOOM
x700

Los colores **iridiscentes** en las alas de una mariposa cambian según el ángulo de vista.

es...

una mariposa búho, haciendo alarde de sus misteriosos **ojos simulados**. El "ojo" parece parpadear cuando la mariposa aletea, es sorprendente y puede hacer que un depredador lo piense dos veces antes de atacar: tiempo para que la mariposa escape.

La **probóscide** o pieza bucal parece una paja, pero absorbe líquido.

Mariposa pavo real

ZOOM x3

Corto pero encantador

ZOOM x5

Las larvas de las mariposas y las polillas se llaman orugas, y su trabajo es alimentarse y crecer. La colorida piel de la oruga es una advertencia que indica que está cubierta de cerdas punzantes. Después de la metamorfosis, este llamativo monstruo saldrá del capullo convertido en una simple polilla marrón.

EN MOVIMIENTO

Los insectos son sorprendentes. Su cuerpo es muy adaptable, permitiendo que evolucione su capacidad de moverse en todo tipo de formas. Algunos pueden volar, otros se arrastran y otros más pueden nadar. ¡Incluso hay algunos que pueden hacer las tres cosas!

ZOOM X8

◄ Ser capaz de volar es una habilidad esencial en la vida de un escarabajo esmeralda. Va de flor en flor, comiendo néctar y polen.

Fuerza de agarre

Las arañas pueden caminar sobre superficies lisas porque tienen mechones de pelos minúsculos bajo sus garras. Cada pelo se divide en miles de pequeños "pies" que ayudan a la araña a pegarse a las superficies más lisas, inclusive el vidrio.

ZOOM x1500

Brincadores elásticos

Las diminutas pulgas pueden brincar hasta 34 cm en un solo salto y pueden seguir saltando varios días sin parar. Las pulgas tienen sus piernas hechas de un material ultraelástico que se llama resilina, que se comprime y libera como un resorte.

ZOOM x30

Insectos rápidos

Los escarabajos tigre son de los insectos más rápidos. El escarabajo tigre australiano de colores puede perseguir a su presa a 9 km/h, antes de destrozarla con sus grandes mandíbulas.

ZOOM x5

ZOOM x3

Nadador y buceador

Los barqueritos pueden nadar y bucear gracias a su último par de patas, que tiene forma de remos. Son largas y con flecos de pelos. Estos insectos pueden sobrevivir bajo el agua, ya que llevan burbujas de aire junto a su cuerpo.

¿QUÉ es?

ZOOM x8

BICHOS DE LA MIEL

Muchos lo pensamos bien antes de acercarnos a una abeja. El zumbido, sus franjas de advertencia y el temor a ser picados son buenas razones para mantenernos a distancia, así como para sus depredadores. De hecho, las abejas son de los insectos más importantes del planeta. Sin ellas, las flores no producen semillas y rápidamente nos quedaríamos sin alimentos.

El área del pecho o tórax está llena de músculos que se usan para volar.

CURIOSIDADES

Las abejas viajan 90 000 kilómetros y pican más de dos millones de flores para hacer un solo tarro de miel. Una abeja mielera producirá sólo la mitad de una cucharadita de miel en toda su vida.

DATOS GENERALES

Nombre común	Abeja mielera
Nombre en latín	*Apis mellifera*
Tamaño	0.5 a 2.5 cm de longitud
Hábitat	Cualquier lugar con flores
Particularidad	Convierte el néctar y el polen de las flores en dulce miel

ZOOM x5

Superalmacenamiento

Las abejas tienen canastas de polen en sus patas y las usan para almacenar el polen que recogen de las flores. Las abejas obreras usan el polen para hacer miel y para alimentar a la colonia.

Las patas están cubiertas de pequeños pelos, y el polen se adhiere a ellas.

Abeja

Aguijón para protegerse (sólo las hembras). Si usa el aguijón, muere.

ZOOM x8

Cuatro alas

Hogar, dulce hogar

Una colmena es el hogar de la colonia. La reina pone los huevos en las celdas de cera, que cuidan las obreras. Cuando los huevos se abren, las obreras alimentan a las larvas, y la mayoría se convertirá en obreras. Algunas serán machos y se les llama zánganos. Muy pocas serán reinas.

ZOOM x2

es...

una abeja de la orquídea. Estos son los únicos animales, aparte de los humanos, que se sabe fabrican perfumes. Los machos recolectan esencias de las flores de orquídea y las mezclan con otros ingredientes, como fruta, para hacer un perfume que atrae a las hembras.

MANCHAS Y FRANJAS

Muchos insectos están decorados con diseños, manchas y rayas. Ciertos diseños ayudan a los insectos a permanecer ocultos en la maleza o los hacen más atractivos para sus parejas. Los diseños intensos o coloridos se usan a menudo para advertir a los depredadores que el insecto pica o tiene un sabor asqueroso.

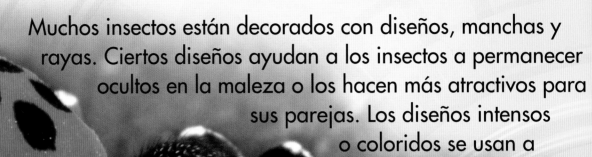

ZOOM x20

Vestida para impresionar
*La glamorosa araña mariquita macho usa su lomo rojo moteado de negro y sus patas a franjas blancas para impresionar a la hembra, que es negra y sosa. Cada hembra puede poner sólo una **nidada** de huevos porque cuando eclosionan, las **crías de arañas** ¡se comen a la mamá!*

Bello color melocotón
Los gusanos terciopelo son de colores delicados y con frecuencia llevan diseños en su cuerpo blando y escamado. Viven en hábitats húmedos y oscuros, y disparan un chorro de baba para atrapar a sus presas.

ZOOM x2

Rompecabezas espiral

Los caracoles rayados de concha clara viven en lugares más cálidos que los de concha oscura. Nadie sabe por qué algunos caracoles tienen franjas espirales oscuras y otros no tienen ningún diseño en su concha.

¿QUÉ ES?

ZOOM
x 10

Genes azules

*¿Cómo crean los insectos diseños y colores en su cuerpo? Los científicos creen que podría ser por una **proteína** especial, el morfógeno. Cuando el morfógeno llega a ciertas partes del cuerpo del insecto, ordena que empiecen a fabricar pigmento, el cual genera el color. Los **genes** de los insectos son los que deciden dónde tendrá este efecto el morfógeno.*

ZOOM
x 14

PELUDOS INOFENSIVOS

Tarántula

Imagina que te encoges al tamaño de una araña goliat comedora de pájaros y te enfrentas cara a cara con ella. Se trata de la araña más grande del mundo y de un insecto gigantesco. Por suerte, la araña goliat —también conocida como tarántula— se ve más peligrosa de lo que realmente es.

Ocho ojos, algunos para detectar la luz y otros para detectar el movimiento.

Apéndices parecidos a patas, llamados pedipalpos, para tocar y sujetar a su presa.

Colmillos, llamados quelíceros, para inyectar veneno a sus presas.

Una mala reputación

Muchas personas temen a las arañas, pero no merecen su mala reputación. Muy pocas arañas lastiman a los seres humanos, y sus picaduras son muy poco frecuentes. De hecho, son de gran importancia. Matan moscas y otros insectos portadores de enfermedades, y son alimento para miles de millones de otros animales, incluidos mamíferos, aves, reptiles y anfibios.

Pelos erizados en el lomo.

ZOOM x2

Muy sensible

Las arañas tienen pequeños pelos en todo su cuerpo. Los pelos son esenciales para su supervivencia. Son extremadamente sensibles al tacto y las vibraciones, por lo que emiten alertas sobre la presencia de otro animal cercano. Aun las arañas ciegas, como las que viven en cuevas, pueden encontrar y atrapar una mosca, con sólo usar este tipo de información.

———— *Cuatro pares de patas*

CURIOSIDADES

Las arañas no tienen lengua o nariz. Pueden oler y saborear las cosas a través de pelos especiales en sus patas.

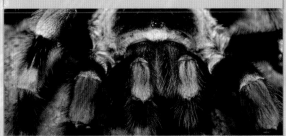

DATOS GENERALES

Nombre común	Tarántula mexicana pierna roja
Nombre en latín	*Brachypelma smithi*
Tamaño	13 a 18 cm de longitud
Hábitat	Matorrales y desiertos
Particularidad	Puede vivir por más de 20 años

es...

Una araña avispa hembra, con franjas brillantes. Los machos son pequeños, color marrón y difíciles de ver. Estas arañas tejen telarañas orbitales, es decir, crean complejas redes de seda. Usan las redes para atrapar a sus presas, a las que matan con una mordida venenosa.

USA TUS OJOS

Mira con detalle estos acercamientos que aparecen por todo el libro. ¿Puedes reconocer alguno de ellos con sólo mirarlo? ¿Hay alguna pista, como color, parte del cuerpo o forma, que te ayude a descubrir dónde lo has visto?

1 Si revoloteo cerca de ti verás destellos de colores vibrantes.

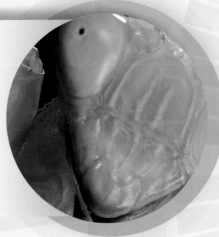

2 Digo mis oraciones antes de cenar, pero mi pose es engañosa. ¿Quién soy?

3 Soy una escolopendra gigante, pero me conoces mejor por mi nombre común.

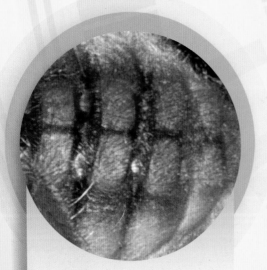

4 Soy un luchador del desierto con mandíbulas poderosas.

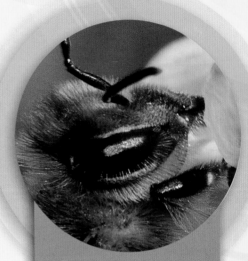

5 Soy el insecto más dulce con aguijón en la cola.

6 Los gatos piensan que soy una molesta plaga.

7 Dedico todo mi tiempo a comer y crecer. Cuando crezca, quiero ser un escarabajo gigante, con patas y alas.

8 Mi nombre podría engañarte. No soy mujer y tengo ocho patas y no seis (ni tampoco dos).

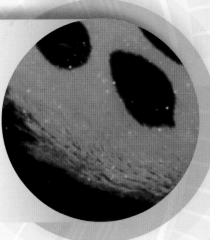

9 ¿A quién estás mirando? Este ojo gigante es un buen truco.

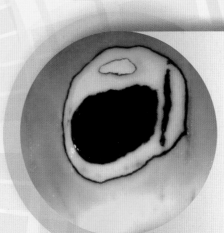

11 Mis ojos son más grandes que mi cerebro, ¿eres tan listo como para decir quién soy?

10 Podrías marearte al seguir mi hermosa espiral.

Respuestas: 1. p22 2. p10 3. p17 4. p16 5. p26 6. p25 7. p13 8. p28 9. p21 10. p29 11. p14

AVES

SILENCIOSOS Y MORTALES

Las plumas en la cara de búho le ayudan a llevar el sonido a los oídos.

Los búhos son sigilosos cazadores nocturnos. En la oscuridad, planean por el bosque en busca de pequeños animales para comer. Con su excelente vista pueden detectar el mínimo movimiento y abalanzarse sobre su presa.

Búho

Ojos al frente

La mayoría de las aves tienen los ojos a los costados de la cabeza; los búhos los tienen al frente, lo que los hace mejores para enfocar a la presa, para calcular la distancia y la velocidad de movimiento.

TAMAÑO REAL

Estos búhos vuelan con aleteos suaves y lentos, usualmente cerca del suelo.

Suave, suave

*Los búhos tienen suaves plumas **afelpadas** en el cuerpo y patas. Con ellas reducen el ruido de su aleteo y así pueden acercarse a su presa en silencio. Las plumas alrededor de las orejas ayudan a dirigir el sonido directo a su canal auditivo.*

TAMAÑO REAL

El pico tiene forma de gancho y es afilado para desgarrar la carne.

Las plumas están coloreadas para servir de camuflaje.

CURIOSIDADES

Los búhos reales son enormes, con una envergadura de 2 metros. Pueden atacar y matar zorros, venados pequeños y otros búhos grandes.

Egragópila de búho

Los búhos no pueden digerir los huesos, garras, piel y dientes que tragan, entonces los acumulan en una parte de su estómago y luego los regurgitan en forma de una egragópila.

DATOS GENERALES

Nombre común	Búho real
Nombre en latín	*Bupo bupo*
Tamaño	58-70 cm de longitud
Hábitat	Bosques, praderas y desiertos
Particularidad	Hace "uuhh-uuhh"

BUENOS VOLADORES

Incluso al mirar con los binoculares, es difícil imaginar cómo vuelan las aves. Los científicos tuvieron que observar de cerca cómo está hecho el cuerpo de las aves para comprender el fenómeno del vuelo. Todo se reduce a las plumas, la forma de las alas y la potencia.

¿Por qué volar?

Sólo hay tres tipos de animales que pueden volar: insectos, murciélagos y aves. Se necesita de mucha energía y de un cuerpo especialmente adaptado para volar, pero vivir en el aire tiene sus ventajas. Un animal que vuela puede explorar áreas nuevas para vivir y comer, huir de los depredadores así como conseguir pareja.

▲ Un pigargo vocinglero vuela sobre el agua en busca de peces.

¿QUÉ es?

ZOOM x7

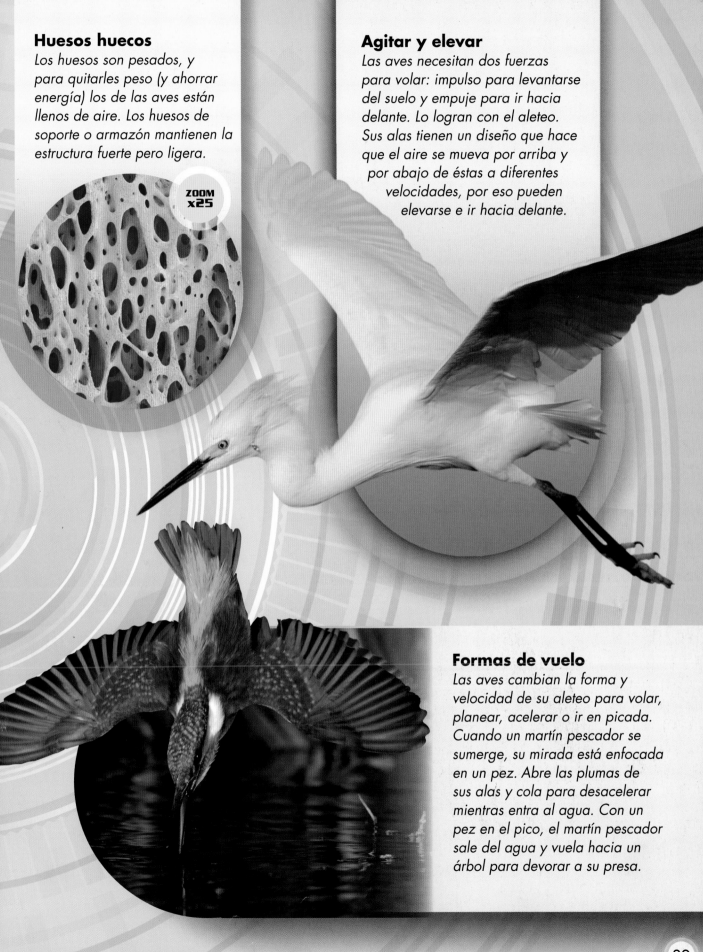

Huesos huecos

Los huesos son pesados, y para quitarles peso (y ahorrar energía) los de las aves están llenos de aire. Los huesos de soporte o armazón mantienen la estructura fuerte pero ligera.

ZOOM x25

Agitar y elevar

Las aves necesitan dos fuerzas para volar: impulso para levantarse del suelo y empuje para ir hacia delante. Lo logran con el aleteo. Sus alas tienen un diseño que hace que el aire se mueva por arriba y por abajo de éstas a diferentes velocidades, por eso pueden elevarse e ir hacia delante.

Formas de vuelo

Las aves cambian la forma y velocidad de su aleteo para volar, planear, acelerar o ir en picada. Cuando un martín pescador se sumerge, su mirada está enfocada en un pez. Abre las plumas de sus alas y cola para desacelerar mientras entra al agua. Con un pez en el pico, el martín pescador sale del agua y vuela hacia un árbol para devorar a su presa.

ALAS VELOCES

Los colibríes son como joyas voladoras del bosque. Vuelan a toda velocidad, visitando hasta 2 000 flores **tropicales** al día para alimentarse. Su rutina es tan agotadora, que pasan la mayor parte del tiempo dormidos o descansando.

Aletear 50 veces por minuto le permite cernerse, pero gasta mucha energía.

Acróbatas aéreos
Estas aves se alimentan de flores al cernerse (sostenerse en el aire sin avanzar). Los colibríes logran esta increíble hazaña aleteando en forma de ocho, en lugar de hacerlo de arriba abajo.

TAMAÑO REAL

es...
el nido de un colibrí. Estas pequeñas aves ponen diminutos huevos, del tamaño de un chícharo. Los nidos y huevos de algunos colibríes son tan pequeños y están tan escondidos que nunca se han visto.

Pico largo y delgado
para llegar al néctar
de las flores.

Tanto machos como
hembras suelen tener un
plumaje brillante y colorido.

Un cuerpo pequeño
y una vida activa
significan que el colibrí
debe alimentarse de
comida rica en energía:
dulce néctar.

CURIOSIDADES

El colibrí zunzuncito es el ave más pequeña del mundo, con una envergadura promedio de 33 milímetros.

DATOS GENERALES

Nombre común	Colibrí zunzuncito
Nombre en latín	*Mellisuga helenae*
Tamaño	55 a 61 mm de longitud
Hábitat	Bosques tropicales
Particularidad	Las hembras ponen 2 huevos del tamaño de un chícharo

Los colores del arcoíris

Las plumas del colibrí tienen un brillo metálico hermoso conocido como **iridiscencia**. *Los colores se crean cuando la luz se refleja en las plumas, de la misma manera en que se forman los colores en la capa delgada de una burbuja de jabón.*

ZOOM x10

PLUMAS FINAS

Las plumas son superestructuras con sorprendentes propiedades. Mantienen a las aves secas, abrigadas o frescas y son esenciales para volar. Están hechas de **queratina**, que es la misma proteína que tienes en las uñas y el cabello.

◄ El macho y la hembra de la grulla real gris tienen una maravillosa **cresta** de plumas doradas.

TAMAÑO REAL

Bello plumaje

Las plumas del ave se llaman plumaje y sus colores están equilibrados para lograr el camuflaje o para llamar la atención. Para esconderse de los depredadores, las aves suelen tener un plumaje oscuro y simple. A otros, generalmente los machos, les gusta mostrar plumas bellas, colores vivos y crestas o colas impresionantes.

ZOOM x120

¿QUÉ es?

Acércate a una pluma

El potente microscopio electrónico de barrido muestra la increíble estructura de la pluma de un pingüino. Las **barbas** naranjas salen del tallo central o **raquis**. Cada barba tiene diminutos filamentos enganchados llamados **bárbulas**. Se enganchan, atrapan el aire para mantener al ave abrigada y ayudan a que su plumaje sea impermeable.

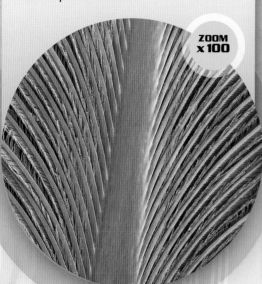

ZOOM x100

Tipo de plumas

Las plumas largas y rígidas se utilizan para el vuelo y se encuentran en las alas y cola. Las plumas contorneadas, como ésta, crecen sobre el cuerpo del ave. Las barbas se enciman una sobre otra dando al ave una figura aerodinámica. Las **plumas** suaves y afelpadas cerca de la base del raquis atrapan el aire y aíslan el cuerpo (lo abrigan para conservar el calor).

ZOOM x3

Hechas para volar

Las plumas de vuelo se llaman remeras. Las plumas de vuelo primarias como éstas crecen en la punta de las alas y se extienden para agrandar la superficie del ala. El ave expande las remeras o las gira para controlar la dirección y velocidad del vuelo. Las plumas de la cola son rígidas y pueden moverse, como las remeras. Al bajar y extender las plumas de la cola, el ave frena para aterrizar.

MAGNÍFICOS PINZONES

El pinzón (o diamante) de Gould tiene plumas tan coloridas que parece que lo salpicaron de pintura. Estas aves sólo se encuentran al norte de Australia, donde eran comunes. Ahora los pinzones de Gould son escasos, sólo viven cerca de 250 en su hábitat natural.

Pico grueso y fuerte para abrir semillas.

Cara negra, roja o naranja y amarillo.

Pollitos sin gracia

Los pinzones de Gould pueden tener una pareja toda su vida. Las crías tienen un plumaje soso en comparación con sus padres. Hasta que dejan el nido, y se vuelven vulnerables a los depredadores. Tener plumas llamativas es como tener un letrero de "cómeme".

TAMAÑO REAL

Pinzón de Gould

ZOOM x2

es...

el piojo de un ave (un tipo de parásito) acurrucado en las barbas de una pluma. Algunos de los parásitos comen las plumas; otros succionan la sangre. Los pinzones de Gould sufren por los ácaros que se alimentan de la piel.

Plumaje con brillantes colores.

La cola de los machos es más larga.

CURIOSIDADES

Hace sesenta años había millones de diamantes de Gould. Hoy hay muy pocos porque muchos han sido atrapados y puestos en jaulas y su hábitat ha sido destruido.

DATOS GENERALES

Nombre común	Pinzón o diamante de Gould
Nombre en latín	*Erythrura gouldiae*
Tamaño	13 cm de longitud
Hábitat	Praderas y bosques
Particularidad	Colores increíbles

Picogordo elegante

El plumaje de este picogordo macho impresionará a cualquier hembra que se acerque. Viven en lugares más fríos que los pinzones de Gould y equilibran la necesidad de plumas finas con la habilidad de esconderse de los depredadores. Sus duro picos pueden romper castaña nueces.

ZOOM x2

EL PICO ADECUADO

Cuando miras con atención a un ave, observa la forma y tamaño del pico. Esta boca dura y sin dientes puede decirte más sobre la vida que lleva un ave que cualquier otra parte del cuerpo. El pico crece desde el cráneo y sigue creciendo durante toda la vida. Se desgasta constantemente, de modo que no crece tanto en un ave adulta.

TAMAÑO REAL

Una bocota

Los tucanes tienen picos enormes y coloridos. Pero si no necesitan ese gran pico para su dieta tropical de frutas e insectos, ¿por qué tienen una boca tan grande? Nadie sabe, aunque un pico grande podría funcionar como aire acondicionado para sentirse fresco.

¿QUÉ ES?

ZOOM x4

Pequeño pero fuerte

Los picos con forma de cono son fuertes cerca de la base. Son perfectos para romper las nueces duras y pasar por la piel gruesa hasta llegar a lo más suave de una fruta. Este verderón utiliza su pico en forma de cono para abrir una semilla de girasol.

Guarda tu distancia

Los picos de las aves que comen insectos parecen pinzas. Suelen ser largos, para que las aves estén a salvo de picaduras o mordidas. Las aves que comen abejas las sujetan con el pico y las golpean contra una rama hasta que sueltan el aguijón.

Buenos modales

*Las aves rapaces, como esta águila de cola blanca, desgarran la carne. Practican la **carroñería**: se alimentan de animales moribundos o muertos. El pico largo ayuda a mantener las bacterias y sangre lejos de las plumas, ojos y fosas nasales.*

AVES INTELIGENTES

Los loros grises son aves muy inteligentes. De hecho, podrían ser tan inteligentes como las ballenas, los simios y ¡hasta los niños pequeños! Los loros son aves ruidosas y coloridas que viven en grupos grandes o **colonias**.

Piel que rodea sus ojos amarillos

Pico afilado y ganchudo.

Alimento poco común

Los loros, como esta guacamaya roja, utilizan sus patas como manos y sostienen la comida para acercarla a la boca. El guacamayo azul come duras nueces de palma. Suelen recoger nueces del estiércol de la vaca porque son más fáciles de comer después de haber sido digeridas.

TAMAÑO REAL

es...

un miná del Himalaya. Estas lustrosas aves son famosas por su habilidad para imitar o copiar la voz humana. Los loros, además de imitar, pueden aprender el significado de algunas palabras.

Luz de fantasía

Los colores de las plumas del loro son únicos y ninguna otra ave comparte esta característica. Sus plumas esparcen la luz y contienen pigmentos inusuales que producen azules, verdes y rojos vivos.

TAMAÑO REAL

Plumas grises con bordes blancos.

CURIOSIDADES

Los miembros de la familia de los loros pueden vivir mucho, hasta 80 años. Sin embargo, estas aves están en peligro de extinción.

DATOS GENERALES

Nombre común	Loro gris
Nombre en latín	*Psittacus erithacus*
Tamaño	33 cm de longitud
Hábitat	Bosque tropical de tierras bajas
Particularidad	Hablador

Loro gris

Los adultos no son tan coloridos como otros loros, pero tienen la cola de color rojo.

EL MILAGRO DE UN HUEVO

Las hembras ponen huevos y la mayoría de los padres cuidan de sus crías mientras crecen. Si tuvieras la oportunidad de ver dentro de un huevo y observar el desarrollo de un pollito, serías testigo de una de las más grandes maravillas de la naturaleza.

TAMAÑO REAL

◄ Este pollito permaneció casi 21 días dentro del huevo. Las aves más pequeñas, como los gorriones, pueden nacer en menos de dos semanas.

Ciclo de vida de un pollito

1 Las **membranas** conservan los líquidos dentro del huevo y permiten que los gases traspasen el cascarón. La yema contiene alimento para el pollito.

2 El cascarón se adelgaza mientras va creciendo el pollito. El calcio que contiene forma el esqueleto del pollito. La clara del huevo lo protege y lo alimenta.

3 Los pollitos tienen un diente pequeño en el pico que usan para salir del cascarón.

4 Un pollito recién nacido tiene las plumas húmedas, pero pronto se tornan suaves y esponjadas cuando se secan.

Zona de crecimiento

Los huevos contienen todo lo que el pollito necesita para crecer. Pero tienen que conservar el calor para crecer. Por esta razón los padres se sientan sobre los huevos; a esto se le llama incubación.

TAMAÑO REAL

Las gallinas ponen huevos

Las hembras se llaman gallinas, no sólo las de los pollos. Los huevos se desarrollan dentro de la gallina antes de que se aparee con el macho. Los machos fertilizan los huevos durante el apareamiento.

¡Aliméntame!

Los pollitos pueden abrir mucho la boca. Confían en que sus padres los alimentarán mientras crecen. Cuando están listos para volar, se llaman polluelos.

ZOOM x4

¿QUÉ es?

TAMAÑO REAL

MAGNÍFICOS CONSTRUCTORES

Los tejedores son los mejores constructores del mundo. Construyen los nidos más increíbles. Mira con atención y verás que no sólo amontonan plantas una encima de otra; las entretejen para crear una fortaleza elaborada y resistente.

Tejido de hierbas y junco para crear las paredes del nido.

ZOOM x2

Lodo y saliva
Las golondrinas construyen su nido con lodo y saliva y lo cubren con ramitas y plumas. Metidos en su nido en forma de taza, los pollitos de golondrina comen y crecen mientras se protegen de los depredadores.

CURIOSIDADES

Los tejedores del cabo a veces construyen nidos que cuelgan de ramas encima del agua, donde casi no llegan depredadores. Pero si sube el nivel del agua, el nido puede inundarse y los pollitos se ahogarán.

DATOS GENERALES

Nombre común	Tejedor del cabo
Nombre en latín	*Ploceus capensis*
Tamaño	18 cm de longitud
Hábitat	Bosques
Particularidad	Magníficos constructores de nidos

La entrada del nido suele ser un túnel.

¡Mírame!
Los pájaros jardineros decoran sus refugios con cualquier objeto azul o amarillo que encuentren. El refugio es como un escenario, donde los machos bailan y se lucen para las hembras.

El macho construye el nido, luego canta y baila para atraer a las hembras para que aprecien su obra.

Tejedores

es...

un pollito de pingüino emperador. No hay materiales para construir nidos en la Antártida, entonces los padres tienen que sostener el huevo y, nacido el pollito, lo sostienen entre las patas para abrigarlo.

El nido se construye entre dos soportes, como ramas o tallos gruesos de pasto.

POSAR, CAMINAR, VADEAR

Puedes conocer mucho sobre un ave al mirar sus patas. Un acercamiento al pico de un ave te dará pistas sobre su dieta, pero si miras de cerca las extremidades inferiores te dirá dónde y cómo vive.

◄ Un acercamiento a un pigargo europeo mientras desciende en picada para matar revela el poder de este poderoso cazador.

Patas antiderrapantes

Las aves rapaces atrapan criaturas escurridizas, por eso necesitan fuertes **talones** *con garras para sujetarlos con fuerza. Los pigargos europeos sacan peces resbalosos del agua, pero también están equipados para cazar mamíferos, otras aves y carroña.*

¿QUÉ ES?

ZOOM x2

Aves acuáticas

Las fochas, gracias a sus patas largas y delgadas, se deslizan en aguas poco profundas buscando animales pequeños para comer. Sus patas tienen dedos largos y separados para que no se hundan en el lodo. Las aves nadadoras, como patos y pingüinos, tienen patas palmeadas. Esto les ayuda a moverse en el agua con velocidad y fuerza.

ZOOM
x2

Buenas noches

Las aves de percha o paseriformes tienen en cada pata 3 dedos que apuntan hacia delante y uno apuntando hacia atrás. Esta característica les permite sujetarse fuerte de una rama, incluso cuando están dormidas.

Grandes pateadores

El avestruz es un ave gigante que puede correr a 70 km por hora, pero no pueden volar. Sólo tiene dos gruesos dedos grandes en cada pata y puede patear con la fuerza suficiente para matar un león.

CAZADORES JUNTO AL MAR

El frailecillo es el ave con la apariencia más extraña del mundo. Se le conoce como "loro de mar" y "payaso del océano" por su rostro curioso y pico colorido. Esta asombrosa ave marina no es una gran voladora, pero sus habilidades para nadar y cazar son impresionantes.

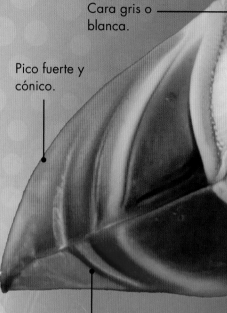

Cara gris o blanca.

Pico fuerte y cónico.

Frailecillo

ZOOM x2

Pico de colores brillantes en verano, con partes azules, rojas y amarillas.

Todos al agua

Los frailecillos son nadadores intrépidos en mar abierto, reman con sus grandes patas naranjas y palmeadas. Pueden bucear hasta 20 metros para perseguir a su presa y aguantar hasta 30 segundos bajo el agua.

es...

el huevo de un arao. Estas aves marinas ponen huevos directamente sobre el borde de un acantilado, sin la protección de un nido. La forma inusual del huevo impide que ruede y se caiga.

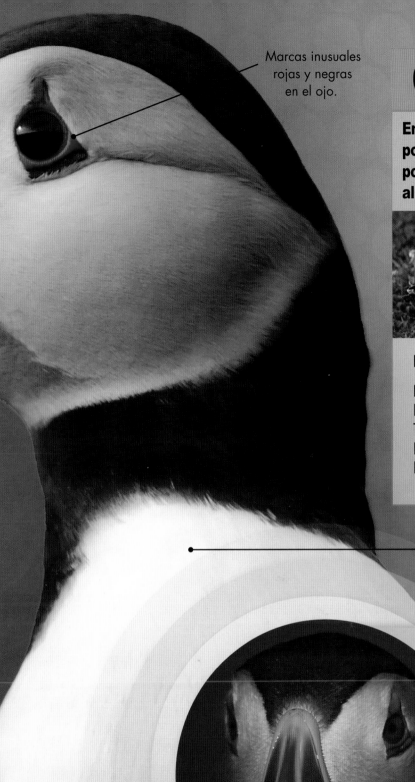

Marcas inusuales rojas y negras en el ojo.

En el periodo de cría, el frailecillo podría cargar su reserva de alimento por 50 km hasta llegar al nido y alimentar a sus pollitos hambrientos.

DATOS GENERALES

Nombre común	Frailecillo atlántico
Nombre en latín	*Fratercula arctica*
Tamaño	27-30 cm de longitud
Hábitat	Acantilados y mar abierto
Particularidad	Se alimenta en grandes grupos llamados colonias

Pecho blanco y cuerpo negro.

Transportador de pescados

Cuando el frailecillo atrapa a su presa, que suelen ser peces pequeños, puede pescar y sostener varios a la vez. Empuja un pescado con la lengua y lo sujeta con los bordes dentados de su mandíbula. Así puede abrir la boca con confianza y atrapar más.

TAMAÑO REAL

USA LOS OJOS

Examina los acercamientos de aves que aparecen a lo largo del libro. ¿Puedes reconocer alguna con sólo mirarlos? ¿Hay alguna pista que te ayude a descubrir dónde has visto la imagen antes, como color, parte del cuerpo o forma?

1 *Parece como si me hubieran salpicado de pintura*

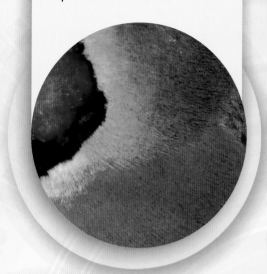

2 *Shhh, te estoy observando. Soy un cazador silencioso, no me escucharás venir.*

3 *Abro mis enormes alas y planeo sobre el agua.*

4 *Tengo plumaje café, pero cola blanca.*

5 *¿Qué ave amarilla ha estado ocupada tejiendo este nido?*

6 Dos ven mejor que uno, ¡pero uno puede verte!

7 Soy tan veloz que sólo soy un hermoso resplandor azul.

8 Soy listo, puedo hablar y también soy guapo.

9 ¡Bienvenido al mundo, pajarito!

11 ¿Quién quiere pies limpios cuando caminas por el lodo? Me gustan mis patas grandes, pero ¿quién soy?

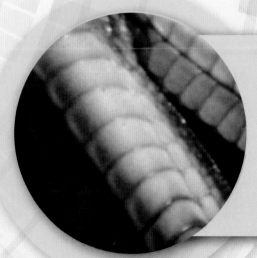

10 Dicen que parezco un payaso o un loro. ¿Piensas lo mismo?

ALIMENTO DEL MAR

El plancton está formado por pequeñas criaturas marinas que fungen como alimento para la fauna marina. Son pequeños, pero son millones. Los peces y otros animales marinos comen plancton, el cual es el inicio de la **cadena alimenticia**. El plancton vive cerca de la superficie del mar, donde hay luz y calor. El krill antártico, a pesar de ser parte del plancton, es muy resistente.

Ojos grandes que le permiten ver en aguas profundas y oscuras.

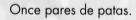

Once pares de patas.

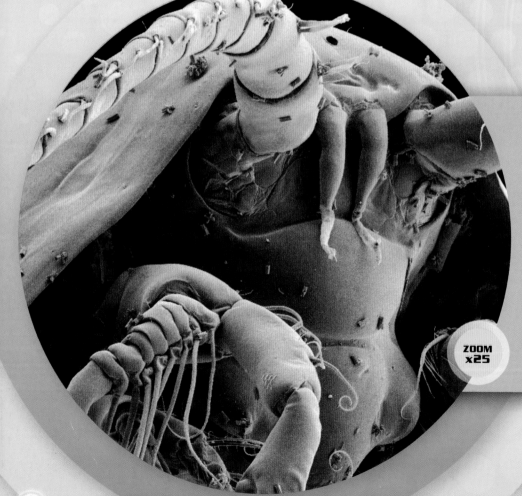

ZOOM x25

Pequeño y grande
Mira un krill de cerca y observarás su dura piel, antenas sensoriales y extremidades especiales que filtran microscópicos alimentos del agua. El krill antártico no es más grande que tu dedo meñique; sin embargo, vive en grandes bandadas y es el principal alimento del animal más grande del planeta: la ballena azul.

Cuerpo transparente; la luz lo atraviesa.

Sentado o nadando

*Este pequeño animal, llamado obelia, tiene un **ciclo de vida** extraño. Pasa parte de su vida adherido al fondo del mar y luego produce esta fase llamada medusa y puede nadar. Es el alimento de otros animales más grandes.*

ZOOM x100

Piel exterior dura, llamada caparazón.

Krill

ZOOM x6

CURIOSIDADES

El krill puede vivir en aguas profundas, a 4 kilómetros bajo la superficie, donde no hay luz y la presión del agua aplastaría los huesos de un humano en un instante.

Plancton singular

Este radiolario es un tipo de plancton. La mayoría son demasiado pequeños para ser vistos a simple vista. El que ves aquí vivió hace millones de años y se ha convertido en piedra (es un fósil).

DATOS GENERALES

Nombre común	Krill antártico
Nombre en latín	*Euphausia superba*
Tamaño	1 a 14 cm de longitud
Hábitat	En todo el océano
Particularidad	Se alimenta de plantas pequeñas

MARAVILLAS MARINAS

La vida comenzó en el mar hace 3 500 millones de años. Mira de cerca una posa rocosa en la playa y verás la enorme variedad de seres vivos que dependen del mar para vivir. Al mirar de cerca, descubrirás que ahí se desarrollan extrañas, dramáticas e increíbles vidas.

◀ Cuando la marea es baja, se pone al descubierto una gran variedad de seres vivos escondidos entre las piedras y el lodo.

ZOOM x3

Estrella de mar

Las estrellas de mar pertenecen a los llamados **equinodermos**. *Suelen tener cinco brazos y su boca está en el centro de su cuerpo, en la parte inferior; sus brazos tienen cientos de pequeños "pies tubulares" con ventosas. Están llenos de líquido y se mueven en las olas, por eso la estrella de mar puede caminar por el fondo del mar.*

Guardería de huevos

Este pequeño caballito de mar acaba de salir de su huevo. Cuando una hembra pone huevos, el macho los recoge y los guarda en una bolsa especial, donde están a salvo de los depredadores y van creciendo hasta que están listos para salir.

ZOOM x30

Sujétate

Los percebes son crustáceos que se adhieren a las rocas y se alimentan de plancton. Por la forma extraña que tienen, en la antigüedad se pensaba que se convertían en gansos.

ZOOM x1.5

Piedras espinosas

Los erizos de mar son un tipo de equinodermos y parecen piedras espinosas. A menudo tienen veneno en las espinas y la boca... ¡que está en su trasero! Algunos erizos tropicales tienen espinas de un centímetro de grueso.

TAMAÑO REAL

¿QUÉ ES?

ZOOM x3

ENEMIGOS FLORALES

Las anémonas joya parecen hermosas flores bajo el agua, pero son depredadores venenosos. Las anémonas joya forman racimos en el fondo del mar o en las rocas, que parecen alfombras de gran colorido. Los colores van desde rosa hasta azul y verde, pero esa bella apariencia oculta un secreto mortal.

Tres anillos de tentáculos

ZOOM x5

Anémona joya

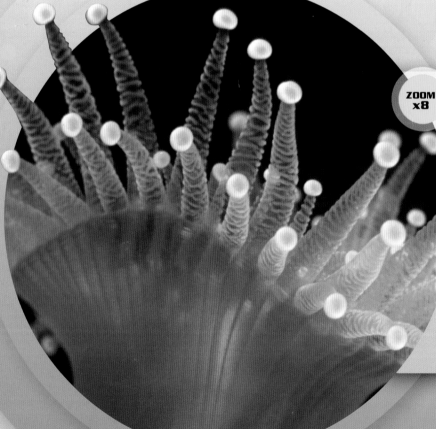

ZOOM x8

Armas ocultas
Esta linda anémona joya tiene aguijones en sus regordetes tentáculos. Cuando los peces u otros animales nadan a través de ellos, lanzan aguijones a la presa, inyectando un doloroso veneno. Algunas anémonas tienen aguijones que funcionan como arpones que capturan la presa y la arrastran hacia su boca.

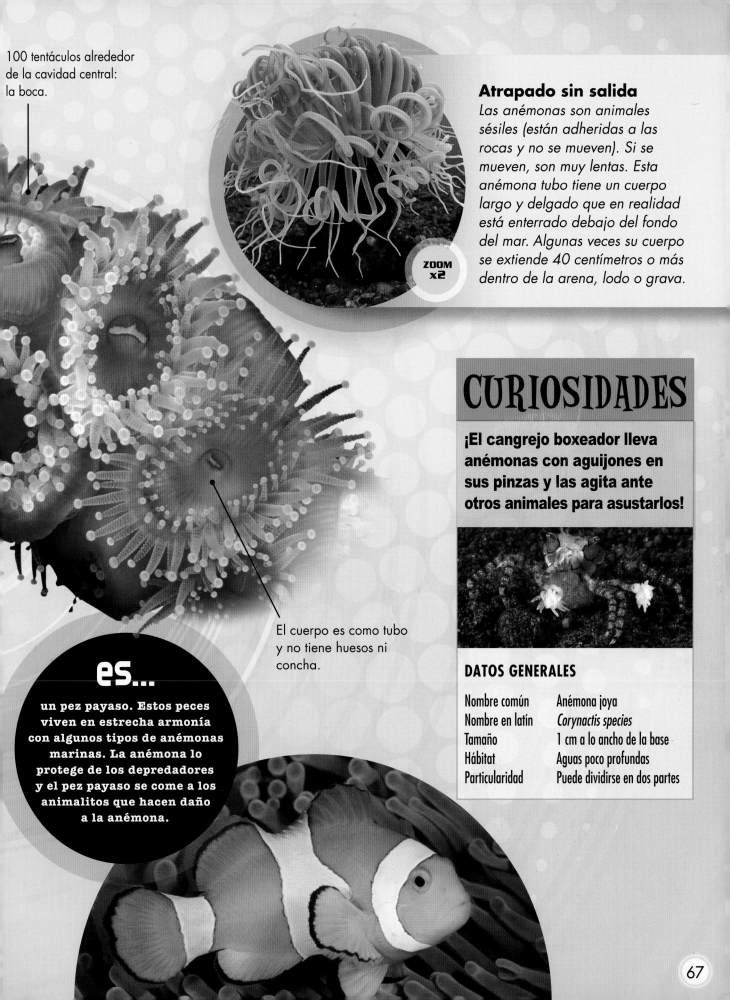

100 tentáculos alrededor de la cavidad central: la boca.

Atrapado sin salida

Las anémonas son animales sésiles (están adheridas a las rocas y no se mueven). Si se mueven, son muy lentas. Esta anémona tubo tiene un cuerpo largo y delgado que en realidad está enterrado debajo del fondo del mar. Algunas veces su cuerpo se extiende 40 centímetros o más dentro de la arena, lodo o grava.

ZOOM x2

CURIOSIDADES

¡El cangrejo boxeador lleva anémonas con aguijones en sus pinzas y las agita ante otros animales para asustarlos!

El cuerpo es como tubo y no tiene huesos ni concha.

es...

un pez payaso. Estos peces viven en estrecha armonía con algunos tipos de anémonas marinas. La anémona lo protege de los depredadores y el pez payaso se come a los animalitos que hacen daño a la anémona.

DATOS GENERALES

Nombre común	Anémona joya
Nombre en latín	*Corynactis species*
Tamaño	1 cm a lo ancho de la base
Hábitat	Aguas poco profundas
Particularidad	Puede dividirse en dos partes

PEZ FANTÁSTICO

¿Qué es un pez? Los hay de tantos tipos, formas, tamaños y colores que es difícil decir exactamente lo que es un pez. Los peces marinos más pequeños son más chicos que la uña de un dedo, pero los más grandes crecen hasta 14 metros de largo: los tiburones ballena.

ZOOM x88

◄ Al amplificar la piel de un tiburón se puede observar su extraordinaria estructura. Cada una de sus escamas puntiagudas se llama dentículo y es muy similar a un diente.

¿QUÉ ES?

Pez bebé

Pocos peces cuidan sus huevos o sus crías. Una trucha común puede poner 10 000 huevos por vez, pero sólo algunos peces bebé (llamados **alevines**) llegarán a la edad adulta. Huevos y alevines son nutritivos y sabrosos para muchos animales marinos.

ZOOM
x30

Ojos grandes

Los buzos que nadan cerca las catalufas roqueras son bien observados. Son peces cazadores nocturnos con una vista magnífica, gracias a sus enormes ojos. Pueden crecer hasta 50 centímetros de largo y viven alrededor de los arrecifes.

Respiración profunda

El agua de mar contiene **oxígeno**, el gas que respiran los peces para liberar energía de los alimentos. El agua entra por la boca del pez y fluye por las **branquias**, que se encuentran detrás de su cabeza. Esta imagen de las branquias está amplificada para mostrar la gran superficie que ayuda a aumentar la circulación de oxígeno en la sangre del pez. Se expulsa un gas de desecho, el dióxido de carbono.

ZOOM
x250

FRANJAS DE ADVERTENCIA

Las aletas dorsales llevan veneno.

Si un fotógrafo buzo quiere tomar fotos a un pez león, seguramente se alejará en vez de acercarse. Estos peces llamativos no llevan franjas sólo por diversión, son una clara señal que advierte a otros animales de mantenerse alejados, porque sus espinas pueden lastimarlos.

Pequeño y espinoso

Las franjas rojas de un camarón boxeador ayudan a este **crustáceo** *a ocultarse, o a advertir al hambriento pez león que le guarda una sorpresa. Observa su lomo y verás una hilera de afiladas espinas.*

TAMAÑO REAL

Las franjas rojas y blancas son una advertencia para que los depredadores se mantengan alejados.

es...

un pez macarela. Las escamas lisas de su lustroso cuerpo reflejan la luz. Cuando un banco de macarelas se pasea velozmente por el mar crea una brillante estela de luz que confunde a sus depredadores.

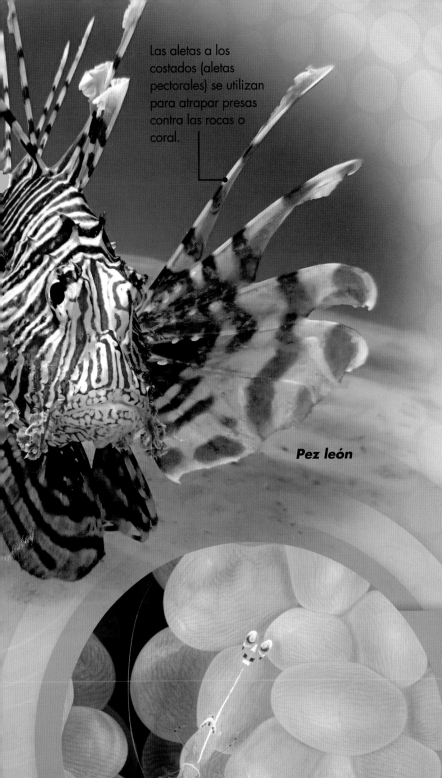

Las aletas a los costados (aletas pectorales) se utilizan para atrapar presas contra las rocas o coral.

Pez león

Algunos tiburones se comen al pez león, cuyas espinas venenosas no les afectan.

DATOS GENERALES

Nombre común	Pez león
Nombre en latín	Especies *Pterois*
Tamaño	Hasta 40 cm de longitud
Hábitat	Aguas costeras en lugares cálidos
Particularidad	Espinas venenosas

¿Puedes verme?

No es fácil descubrir a un diminuto camarón anémona. Tiene un cuerpo casi transparente y se puede esconder entre los tentáculos de la anémona o entre este coral blanco. Los animales pequeños e indefensos utilizan su apariencia para confundirse o desaparecer de la vista, y evitar ser la comida de un animal más grande.

ZOOM x15

HABITANTES SIN HUESOS

Los animales marinos pueden ser grandes, esponjosos y suaves, porque el agua es más espesa o densa que el aire y puede sostener el cuerpo de un animal sin la necesidad de un armazón de huesos. Los animales sin huesos se llaman **invertebrados** y algunos tienen una piel exterior dura o concha para su defensa, pero otros no y son suaves.

◄ El caracol lengua de flamenco tiene la piel estampada y suave y la envuelve sobre su concha. Se alimenta de abanicos de mar, un tipo de coral.

ZOOM x5

Moluscos poderosos

*Las babosas y caracoles de mar pertenecen a un grupo de animales llamados **moluscos**, y la mayoría de ellos viven en el mar. Desde los mejillones en la playa hasta los calamares en las profundidades del mar, los moluscos se han convertido en los amos del hábitat marino. Existen al menos 50 000 tipos o especies diferentes de moluscos.*

¿QUÉ es?

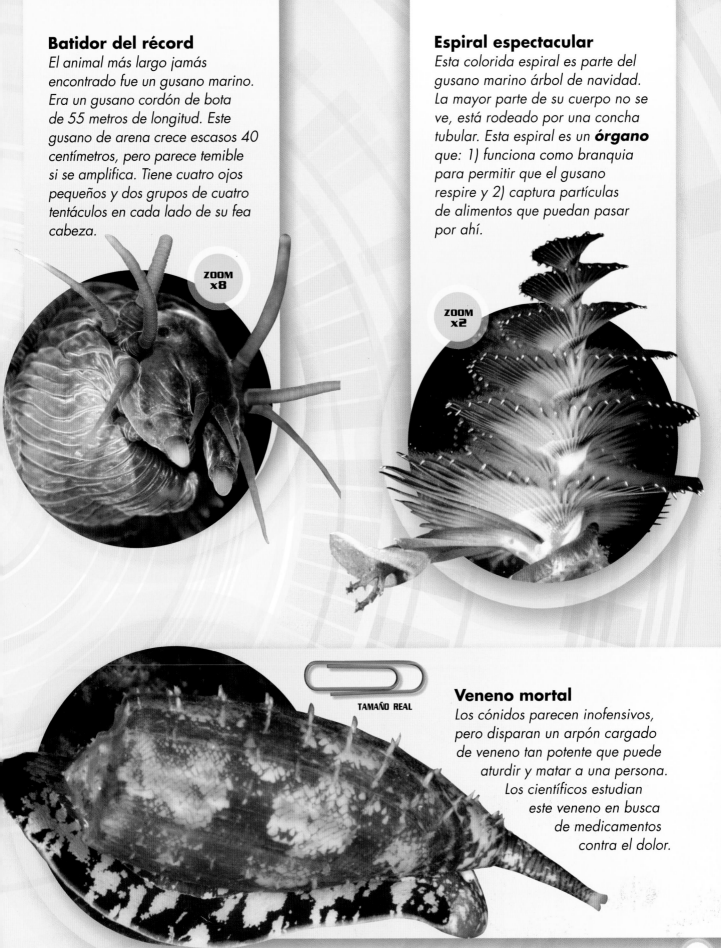

Batidor del récord

El animal más largo jamás encontrado fue un gusano marino. Era un gusano cordón de bota de 55 metros de longitud. Este gusano de arena crece escasos 40 centímetros, pero parece temible si se amplifica. Tiene cuatro ojos pequeños y dos grupos de cuatro tentáculos en cada lado de su fea cabeza.

ZOOM x8

Espiral espectacular

*Esta colorida espiral es parte del gusano marino árbol de navidad. La mayor parte de su cuerpo no se ve, está rodeado por una concha tubular. Esta espiral es un **órgano** que: 1) funciona como branquia para permitir que el gusano respire y 2) captura partículas de alimentos que puedan pasar por ahí.*

ZOOM x2

TAMAÑO REAL

Veneno mortal

Los cónidos parecen inofensivos, pero disparan un arpón cargado de veneno tan potente que puede aturdir y matar a una persona. Los científicos estudian este veneno en busca de medicamentos contra el dolor.

73

PEQUEÑO PERO MORTAL

Un pulpo de anillos azules puede ser pequeño, pero es mortal, y lleva su correspondiente señal de "peligro". Mira de cerca esos anillos de color azul vivo. Muestran que el pulpo se siente amenazado y está listo para atacar. Su saliva o secreción contiene veneno mortal de acción rápida.

Pulpo de anillos azu

Piel amarilla o dorada.

Espinas tóxicas

Intenta mirar muy de cerca un pez piedra y aun así quizá no lo veas. Este pez camuflado es uno de los animales más venenosos del mundo. Si pisas una de sus 13 espinas puede inyectarte un veneno que causa un dolor insoportable e incluso la muerte.

es...

una almeja gigante. Estos moluscos miden hasta 150 centímetros de longitud y no se mueven del fondo del mar. Filtran las partículas de alimento del agua marina y viven en las aguas poco profundas del océano Pacífico.

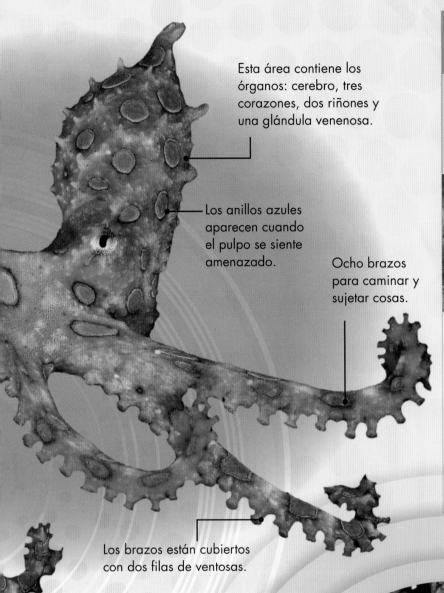

Esta área contiene los órganos: cerebro, tres corazones, dos riñones y una glándula venenosa.

Los anillos azules aparecen cuando el pulpo se siente amenazado.

Ocho brazos para caminar y sujetar cosas.

Los brazos están cubiertos con dos filas de ventosas.

La mordida de este pulpo no es dolorosa, pero tiene suficiente veneno para paralizar a diez adultos.

DATOS GENERALES

Nombre común	Pulpo de anillos azules
Nombre en latín	Especie *Hapalochlaena*
Tamaño	10 a 20 cm de longitud
Hábitat	Zonas tropicales de los océanos Pacífico e Índico
Particularidad	Anillos azules brillantes

TAMAÑO REAL

Banquete o hambruna

El pulpo de anillos azules se alimenta de peces, camarones y cangrejos. Muerde a sus víctimas o libera saliva venenosa al agua de su alrededor. Espera que el veneno haga efecto y luego se come a la presa. Esta madre pulpo no comerá durante seis meses, mientras protege sus blancos huevos ovalados. Cuando salgan sus crías, morirá.

CORAL COLORIDO

Los arrecifes coralinos son como selvas marinas. Son especiales porque son el hogar de casi una cuarta parte de todos los tipos de animales marinos. Los arrecifes son estructuras de piedra construidas por animales pequeños, llamados pólipos, que viven dentro de ellas.

◀ Un pólipo coralino está estrechamente relacionado con una anémona marina. Al igual que las anémonas, estos pequeños animales tienen un cuerpo en forma de columna y filas de tentáculos alrededor de la boca.

ZOOM x7

Superestrellas

Los arrecifes coralinos crecen durante miles de años y forman el hogar o hábitat de otras criaturas. Esta frágil estrella camina por el fondo del mar con sus cinco brazos, pero si se siente amenazada se escabulle rápidamente por las grietas de un arrecife.

ZOOM x10

A las escondidas

Observa este coral y busca al cangrejo coralino suave escondido entre sus ramas. Dos ojitos negros saltones son la única pista de su presencia. Los primeros arrecifes coralinos del mundo crecieron hace unos 210 millones de años. Estos corales de aguas templadas sólo crecen en aguas poco profundas y limpias. El arrecife más grande es la Gran Barrera de Coral, en Australia. Tardó cerca de 8 millones de años en crecer y ahora tiene casi 2 000 kilómetros de largo.

TAMAÑO REAL

Arrecifes en peligro

Los científicos examinan los corales para ver cómo cambian su hábitat. En los últimos años, han cambiado drásticamente grandes extensiones de arrecifes. Cuando los pólipos mueren, se "blanquean" las estructuras de piedra donde viven. Se cree que la contaminación y el **calentamiento global** provocan la muerte de grandes áreas de coral.

TAMAÑO REAL

TAMAÑO REAL

¿QUÉ es?

EN BUSCA DE CASA

Los diminutos cangrejos ermitaños son una brigada de limpieza de los arrecifes coralinos, donde se escabullen para recoger bocadillos que comer. Esto ayuda a los pólipos coralinos a crecer y mantenerse sanos. Echa un vistazo de cerca a las fascinantes características de este animalito.

TAMAÑO REAL

Piernas que son articuladas para caminar y nadar.

Cangrejo

CURIOSIDADES

Muchos cangrejos son carroñeros. También cazan y pueden perder una pinza durante una batalla. Por fortuna, les crecen patas nuevas que reemplazan las que pierden.

DATOS GENERALES

Nombre común	Cangrejo ermitaño escarlata de arrecife
Nombre en latín	*Paguristes cadenati*
Tamaño	4 cm (de pata a pata)
Hábitat	Arrecifes coralinos
Particularidad	Vive en una concha prestada

ZOOM x20

Tiempo para crecer
Éste es uno de los miles de huevos puestos por el cangrejo herradura. La larva crece en el interior y tardará hasta 10 años en crecer y convertirse en adulto.

Un par de
fuertes pinzas.

Antenas sensibles
para tocar y para
detectar productos
químicos en el agua
o aire.

Ojos sobre
tallos.

Todo cambia

*Al salir del huevo, las **larvas** de cangrejo no se parecen a sus padres de patas largas y resistente piel. Esta larva nadará junto al plancton y se comerá lo que atrape con sus cerdas. Cuando crezca, se hundirá en el fondo del mar y se ocultará mientras se desarrolla su dura piel.*

ZOOM
x60

es...

una medusa moteada que
vive en el Pacífico Sur. Estos
animales están relacionados
con los pólipos coralinos y
tienen tentáculos con aguijones.
Son malos nadadores y
son arrastrados por las
corrientes marinas.

MONSTRUOS DEL LECHO MARINO

Cuanto más profundo buceas en el mar, más oscuro se pone. Hacia los 200 metros de profundidad puede filtrarse muy poca luz, pero a 1 000 metros, el mar es negro como la tinta. Observa las zonas más profundas del océano y encontrarás algunos de los animales más extraños del mundo en un hábitat extremo.

TAMAÑO REAL

◀ Un calamar de cristal en su juventud se llama larva y vive cerca de la superficie del mar junto al plancton. Sin embargo, este adulto sobrevive en aguas profundas y oscuras, a profundidades de 2 800 metros.

Medusa roja

Los exploradores marinos usan robots y vehículos de control remoto para mirar de cerca los lugares más profundos. Han descubierto animales extraordinarios, como esta pequeña medusa roja con miles de tentáculos.

ZOOM x2

Bajo presión

El agua es 850 veces más densa que el aire, lo que significa que es muy pesada. Este pez hacha vive en lo profundo del mar y tiene que lidiar con la enorme presión ejercida sobre su cuerpo por el peso del agua. Pero cada noche nada cerca de 1000 metros para alimentarse de plancton en la superficie del mar.

ZOOM x2

TAMAÑO REAL

Lugares marinos cálidos

En las profundidades del mar, hay grietas en el lecho marino por donde escapa el calor del interior del planeta. Se llaman chimeneas hidrotérmicas y ahí viven animales raros que no pueden sobrevivir en ningún otro lugar en la Tierra, como estos gusanos de tubo gigantes.

¿QUÉ es?

LUCES BRILLANTES

Las profundidades del océano contienen muchos misterios, pero los científicos marinos están descubriendo animales nuevos todo el tiempo. Uno de los descubrimientos más increíbles es el pez víbora. Son depredadores feroces y poderosos con un cuerpo perfectamente adaptado a su hábitat de aguas profundas.

TAMAÑO REAL

Cabeza grande.

Colmillos delgados, largos y muy afilados.

Líneas de fotóforos en la parte inferior.

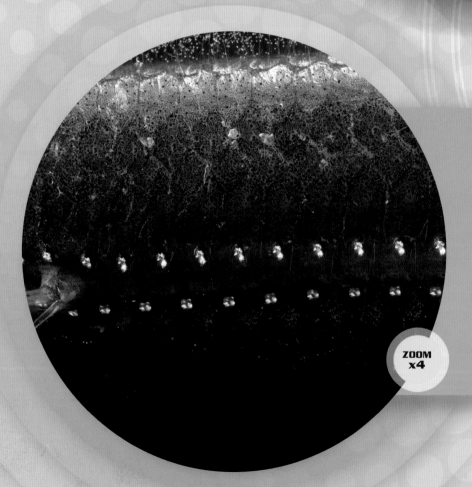

ZOOM x4

Brillo en la oscuridad

¿Quién necesita la luz del sol cuando generas tu luz propia? Algunos animales de aguas profundas, incluido el pez víbora, tienen órganos especiales en su cuerpo, llamados **fotóforos**, *que generan luz. Esto confunde a los depredadores o atrae a las presas y a sus parejas*

El señuelo contiene fotóforos y atrae a sus presas.

Cuerpo largo y delgado.

Listones brillantes

Este animal de aspecto extraño se llama portador de peine. Su cuerpo de listón está cubierto por un lado con pelillos, llamados cilios. Conocido como el cinturón de Venus, este animal nada con un movimiento de serpiente y se ilumina de verde dorado en la noche.

Pez víbora

CURIOSIDADES

Un pez hacha hembra es grande, pero su pareja es diminuta. El macho se queda pegado al cuerpo de la hembra, alimentándose de ella y fertilizando sus huevos.

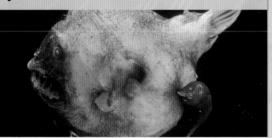

DATOS GENERALES

Nombre común	Pez víbora
Nombre en latín	Especies *Chauliodus*
Tamaño	Hasta 30 cm de longitud
Hábitat	A profundidades de 500-1000 metros
Particularidad	Puede generar su propia luz

es...

un pulpo dumbo de aguas profundas. Sus tentáculos están cubiertos con pequeñas cerdas llamadas cirros. Cuando los cirros se mueven en vaivén crean corrientes de agua que arrastran los alimentos a la boca del pulpo.

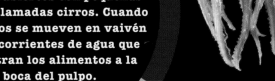

USA TUS OJOS

Usa tus ojos para estudiar con detalle estos acercamientos que aparecen por todo el libro. ¿Puedes reconocer alguno de los animales con sólo ver estas imágenes? ¿Hay alguna pista, como color o forma, que te ayude a descubrir dónde los has visto?

1 *Soy demasiado suave para sobrevivir, así que tomo prestada la casa de alguien más.*

2 *Hago un gran recorrido para encontrar comida, pero mi cuerpo está preparado para el reto.*

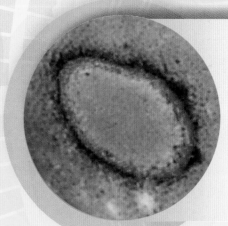

3 *Soy pequeño pero mortal, así que ten cuidado con mis anillos azules.*

4 *Camino con los brazos, ¿qué te parece?*

5 *Mis primos crecen hasta 55 metros, pero yo sólo ¡soy fea!*

6 ¿Qué pez tiene brazos y pies? ¡Ese soy yo!

7 Cuidado, buzos, tengo un mal genio y además espinas.

8 Soy alimento de las ballenas azules gigantes.

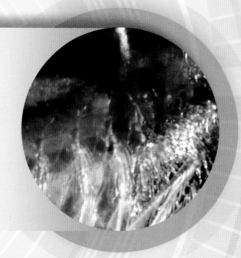

9 Algunos creían que me convertiría en ave, pero no puedo volar a ninguna parte.

11 Si ves mis colmillos es porque ¡llegaste a aguas profundas!

10 Mis primos son las babosas y los caracoles, ¿me parezco?

Respuestas: 1. p78 2. p81 3. p74-75 4. p76 5. p73 6. p64 7. p70-71 8. p62-63 9. p65 10. p72 11. p82

PLANTAS

MÁQUINAS DE ENERGÍA

Necesitamos plantas porque toman la energía de la luz solar y la convierten en alimento. Se trata de un proceso llamado **fotosíntesis**. Mientras realizan esta fabulosa hazaña, las plantas producen **oxígeno**, que es el gas que usamos para convertir los alimentos en energía. Sin plantas, ¡no podríamos comer ni respirar!

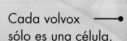

Volvox

Cada volvox sólo es una célula.

La colonia se mantiene dentro de una pared gelatinosa.

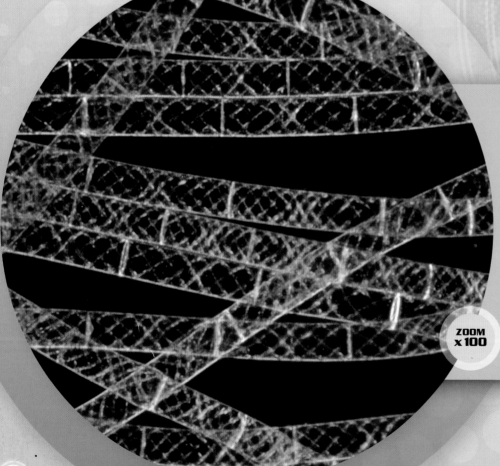

ZOOM x100

Plantas pequeñas

*Las **células** son los bloques de construcción de los seres vivos. Los grandes árboles se forman de millones de células, pero las plantas más sencillas como el volvox, son sólo una célula. Estas plantas se llaman **algas** y viven en el agua. Millones de filamentos de algas Spirogyra (izquierda) crean una charca viscosa de espuma verde.*

El ciclo de vida

La energía solar circula por la cadena de los seres vivos así: los peces grandes, renacuajos y aves comen peces pequeños, éstos comen rotíferos (seres unicelulares, abajo), que a su vez ingieren volvox.

ZOOM x130

ZOOM x80

Una o dos finas colas, los flagelos, hacen que se mueva la colonia.

Algas verdes
(contienen clorofila)

CURIOSIDADES

Éstas son algas marinas. Se usan para hacer medicinas y alimentos, como los helados.

DATOS GENERALES

Nombre común	Algas rojas
Nombre en latín	*Antithamnion plumula*
Tamaño	Hasta 5 cm de longitud
Hábitat	Costas rocosas
Particularidad	Cada filamento es de una célula de espesor

Chicas poderosas

Las diatomeas tienen una apariencia que es única en la Tierra. Son pequeñas algas que usan sílice, una sustancia resistente que forma paredes celulares extrafuertes. La mayoría vive en los mares y océanos.

TORRES Y TUBOS

Las plantas realizan trabajos importantes. Se posicionan a sí mismas para captar la mayor cantidad de luz solar, realizar la fotosíntesis y crecer. Colectan agua de la tierra, generan alimento y circulan los **nutrientes**. Cuando observas el interior de una planta puedes ver exactamente cómo realiza estas tareas esenciales.

TAMAÑO REAL

Supercarreteras

Los tallos funcionan como torres fuertes pero flexibles, elevando las hojas del suelo para que alcancen más luz. Conectan las zonas de producción de alimentos —las hojas— con las raíces, flores y frutos de la planta. A través de ellos viajan nutrientes como minerales, agua y alimentos.

ZOOM x800

¿QUÉ es?

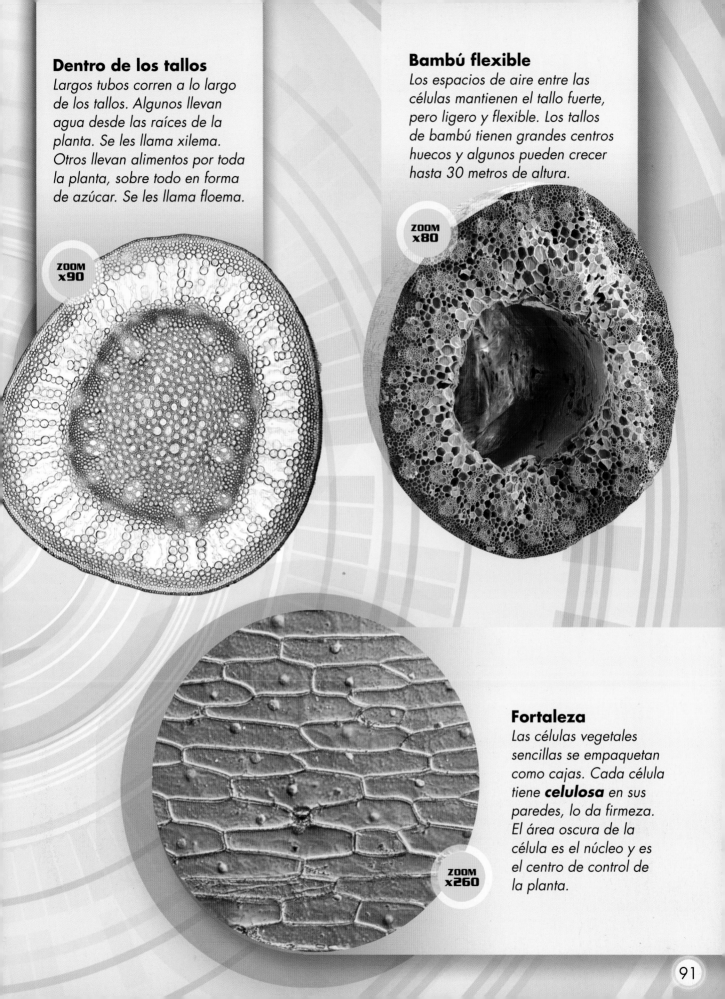

Dentro de los tallos

Largos tubos corren a lo largo de los tallos. Algunos llevan agua desde las raíces de la planta. Se les llama xilema. Otros llevan alimentos por toda la planta, sobre todo en forma de azúcar. Se les llama floema.

ZOOM x90

Bambú flexible

Los espacios de aire entre las células mantienen el tallo fuerte, pero ligero y flexible. Los tallos de bambú tienen grandes centros huecos y algunos pueden crecer hasta 30 metros de altura.

ZOOM x80

Fortaleza

*Las células vegetales sencillas se empaquetan como cajas. Cada célula tiene **celulosa** en sus paredes, lo da firmeza. El área oscura de la célula es el núcleo y es el centro de control de la planta.*

ZOOM x260

CÚMULOS DE MUSGO

Sin siquiera notarlo, caminamos sobre algunas de las plantas más sorprendentes del planeta. Por ejemplo, los musgos parecen verdes cojines mullidos, hasta que los observas muy de cerca. Pueden llegar a crecer varios metros, o ser tan pequeños que sólo pueden verse con un microscopio.

Las cápsulas lanzan esporas al aire.

Las hojas recogen agua.

CURIOSIDADES

Los musgos han existido desde hace unos 300 millones de años, y hay más de 12 000 especies o tipos.

DATOS GENERALES

Nombre común	Musgo de los pantanos
Nombre en latín	*Sphagnum*
Tamaño	10 a 40 mm de altura
Hábitat	Lugares húmedos
Particularidad	Puede contener mucha agua en su estructura

es...

un oso de agua o tardígrado y se esconde en el musgo. Parece temible, pero es pequeño: esta imagen está ampliada 220 veces. Si se seca, un oso de agua puede sobrevivir durante 10 años "congelado" en el tiempo hasta que se moja de nuevo.

Más ligeras que el aire

Las diminutas **esporas** de musgo tienen una resistente capa exterior que las protege. Son tan pequeñas y ligeras que pueden flotar en la más ligera brisa.

ZOOM x1000

ZOOM x2

Musgo

Explosión de plantas

Las primeras plantas que crecieron en el suelo no tenían flores ni **semillas**. Los musgos, **hepáticas** y **helechos** actuales se relacionan con esas plantas, y también producen esporas en vez de semillas. Observa los altos tallos de este musgo llamados esporofitos. Cada cápsula de la parte superior de un esporofito tiene miles de esporas.

ZOOM x10

ÁRBOLES DOTADOS

Las coníferas son plantas que rompen todas las marcas. Son los árboles más altos, pequeños y antiguos. Los cipreses bonsai y los pinos costeros alcanzan sólo 20 cm de altura, mientras que las secoyas pueden medir 95 metros de altura y pesar 10 veces más que una ballena azul. Es increíble saber que crecen a partir de semillas de sólo 3 a 4 milímetros.

◄ Las coníferas enanas pueden crecer sólo 3 centímetros al año y nunca llegan a más de un metro.

Sobrevivientes extremos

Muchas coníferas pueden prosperar en hábitats extremos. Muy al norte, soportan vientos helados y nieve, mientras que en lugares secos soportan meses sin lluvia. Algunos pinos longevos de California han sobrevivido 5 000 años y ya eran muy viejos cuando los antiguos egipcios construyeron las pirámides.

TAMAÑO REAL

ZOOM x6

¿QUÉ ES?

Ahorro de agua

Las hojas de las coníferas son como agujas o escamas, recubiertas con una capa cerosa. Esto les ayuda a ahorrar agua y sobrevivir en climas fríos. La mayoría de las coníferas son perennes, lo que significa que no pierden sus hojas cada año.

TAMAÑO REAL

Números mágicos

Las escamas de las piñas están dispuestas en dos series de espirales: una en un sentido, y la otra en el opuesto. El número de espirales sigue una secuencia matemática única de números, llamada **serie de Fibonacci**. Es la mejor forma de empaquetar grupos de escamas, de manera uniforme y sin huecos.

ZOOM x3

ZOOM x2

Piñas y semillas

A un árbol de coníferas le crecen piñas masculinas y femeninas. El viento llevará el **polen** amarillo de las pequeñas piñas masculinas a las femeninas, que son más grandes. El polen fertiliza sus huevos, pero pasan hasta tres años para que madure una piña femenina. Una vez que crecen las semillas, caen al suelo.

FLORES CON DISFRAZ

Haz una caminata en una selva tropical y estarás rodeado de verde. Grandes hojas esmeralda, verdes **enredaderas** colgantes y **frondas** de helechos volantes llenan cada espacio. Entonces verás un deslumbrante despliegue de flores en el hueco de un árbol. Vistosas, coloridas y perfumadas, flores que se exhiben por una razón.

Orquídea

ZOOM x2

¿Flores grandes o pequeñas?

¿Qué tan grande es una flor de girasol? Podrías pensar que es como tu mano, o aún más grande. Observa y verás que una cabeza de girasol en realidad contiene cientos de flores, cada una llamada **flósculo** *y no es más grande que tu uña. Cada flósculo puede producir una semilla.*

TAMAÑO REAL

Los pétalos, en forma de plataforma de aterrizaje, guían al insecto hacia el **nectario**.

es...

una orquídea abeja. Estas flores parecen y huelen a abejas hembras. Cuando las abejas macho tratan de aparearse con la flor, cae polen en su espalda y al visitar otras flores lo dejan ahí.

En el nectario se produce un almíbar para atraer insectos.

Brillante pétalos coloridos para atraer insectos.

Los estambres cargan polen que pasa a los insectos cuando visitan la flor.

El estigma está conectado al ovario, que contiene los óvulos de la flor.

CURIOSIDADES

Las flores más grandes del mundo son las raflesias y huelen a carne podrida. Una flor puede medir 90 centímetros de ancho

DATOS GENERALES

Nombre común	Orquídea
Nombre en latín	Familia *Orchidaceae*
Tamaño	Hasta 250 cm de alto
Hábitat	En lugares tibios, húmedos
Particularidad	Hermosas flores

ZOOM x3

Secretos en el interior

Los científicos miran de cerca una planta para entender cómo se reproduce. Esta flor está cortada a la mitad, a lo largo, para mostrar sus órganos reproductivos ocultos. Largos **estambres** *con polen en la punta rodean el carpelo, que protege los diminutos óvulos que yacen dentro de sus carnosos tejidos.*

CORTEJO VEGETAL

Cuando los animales desean pareja, es fácil. Pueden caminar, nadar o volar para encontrar la pareja perfecta. Pero las plantas tienen raíces y no se mueven. Superan este problema enviando pequeñas partes de sí mismas —polen— hacia el mundo.

ZOOM x5

◄ Diminutos gránulos de polen naranja cubre las **anteras** de un lirio. Las anteras son la parte superior de un estambre.

¿Qué es el polen?

El polen contiene células sexuales masculinas, que se combinan con las femeninas, u óvulos, para crear semillas. Cuando el polen cae en el **estigma** —la parte femenina de una flor— ocurre la **polinización**. El polen inserta un tubo por el estigma para llegar al ovario y combinarse con un óvulo. Esto se llama fertilización.

Arduos viajeros

Algunos granos de polen son corrugados o tienen picos; otros son redondos, ovalados, planos o pesados. Todo depende de qué planta provienen. La corteza externa de un grano de polen es tan dura que puede sobrevivir por miles de años. Una flor puede producir miles de granos de polen.

ZOOM x1000

Polinizadores perfectos

Los granos de polen son pequeños, por lo que viajan fácilmente con el viento. Muchas plantas con flores son polinizadas por insectos como este escarabajo. Mientras comen en las plantas se cubren de polen, que luego se deposita en los estigmas.

ZOOM x6

Súper pequeño

Acércate a esta antera para ver pequeños granos verdes de polen. Los más pequeños sólo tienen 20 nanómetros de ancho. ¡Un nanómetro es una millonésima de milímetro!

ZOOM x70

ZOOM x5

¿QUÉ ES?

EL VIAJE DE LAS SEMILLAS

Las plantas no crean padres sobreprotectores. Una vez que producen sus semillas, ¡desean que sus vástagos se vayan tan lejos como sea posible! No pretenden luchar por el espacio, luz y agua. Así que producen semillas bien equipadas para realizar un viaje largo: ¡por un medio o por otro!

El vilano eleva la semilla al viento.

Cada semilla está apenas unida a la planta para que a la menor brisa vuele.

CURIOSIDADES

Según una creencia popular, el número de soplidos necesarios para desprender todas las semillas de un diente de león te dice la hora del día. Cuatro soplidos significa que son las cuatro de la tarde.

DATOS GENERALES

Nombre común	Diente de león
Nombre en latín	*Taraxacum officinale*
Tamaño	De 5 a 20 cm de altura
Hábitat	Pastizales y terrenos baldíos
Particularidad	Cada inflorescencia puede tener más de 150 flores

ZOOM x2.5

Frutas jugosas

Después de la fertilización, los ovarios se vuelven frutos o bayas. Los animales comen los frutos, y las semillas pasan por el interior de su cuerpo y salen en las heces. En condiciones adecuadas, las semillas germinan y generan nuevas plantas.

Diente de león

ZOOM
x3

Nuevos inicios

Cuando una semilla tiene las condiciones adecuadas de agua, suelo y temperatura, puede comenzar a crecer una raíz hasta convertirse en una nueva planta. Esto se llama **germinación**.

ZOOM
x6

Las finas hebras se llaman vilano.

es...

una flor bardana. Las semillas se desarrollan dentro de cápsulas duras, o cardillos. Los pequeños ganchos del cardillo se adhieren a los animales o personas que pasen, y los llevan a un nuevo lugar donde las semillas pueden crecer.

DEFENSORES VERDES

Muchos animales, como nosotros, saben que las plantas son un alimento sano y rico. Para sobrevivir, las plantas tienen ingeniosas maneras de defenderse. Las bayas rojas de tejo se ven apetitosas, pero son tóxicas para algunos animales, y sólo los picos más fuertes pueden romper las duras nueces.

Planta espinosa

La rara forma de un cactus espinoso facilita su desarrollo en un entorno difícil. Las afiladas espinas cubren grandes almohadillas verdes que parecen hojas gigantes. De hecho, las espinas son hojas y las almohadillas son tallos hinchados. Los tallos almacenan agua, esencial en un hábitat seco sin lluvia.

Afiladas y cortantes

Las espinas, púas y agujas son una primera línea de defensa para muchas plantas. Se necesitaría un valiente animal para morder una cabellera de Mary. Cada tallo está repleto de espinas con punta de aguja, que miden hasta 8 centímetros de longitud.

TAMAÑO REAL

Transferencia tóxica

El algodoncillo produce una savia tóxica mortal para muchos insectos. Pero las orugas de la mariposa monarca comen la planta y almacenan los mortales compuestos químicos en su cuerpo, volviéndose venenosas para los animales que se alimentan de ellas.

ZOOM x3

Tóxico exudado

Almacenar compuestos tóxicos en los tejidos disuade a las criaturas hambrientas. Los árboles de hule producen un látex pegajoso que es tóxico, y además atrapa insectos que tratan de alimentarse del árbol.

Ataque vegetal

Los pelillos de una hoja de ortiga cargan diminutas gotas de **sílice** en la punta (izquierda). Si rozas la hoja, las puntas se desprenden y los pelillos se encajan en la piel, inyectando compuestos químicos dañinos. Uno causa dolor, otro hincha, enrojece e irrita la piel. Incluso los pastos contienen fragmentos afilados de sílice.

ZOOM x100

¿QUÉ ES?

ZOOM x4

PLANTAS CARNÍVORAS

Al ver de cerca las plantas, descubres que tienen algunos secretos extraños y mortales. En la infinita lucha por la supervivencia, los animales hacen de las plantas su alimento pero, en casos raros, ¡las plantas se imponen y se comen a los animales!

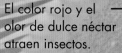
El color rojo y el olor de dulce néctar atraen insectos.

CURIOSIDADES

Las moscas pequeñas logran escapar de la trampa. A la planta no le importa porque sólo gasta su tiempo y energía en comidas carnosas.

DATOS GENERALES

Nombre común	Venus atrapamoscas
Nombre en latín	*Dionaea muscipula*
Tamaño	Las hojas tienen de 5 a 30 cm de longitud
Hábitat	Lugares húmedos cubiertos de musgo
Particularidad	Cuando digiere un insecto, cierra su trampa hasta 10 días

ZOOM x2

Medidas extremas
Las hojas de plantas insectívoras atraen insectos en sus coloridas tazas; los curiosos caen en ellas, que tienen una poción de agua y sustancias que disuelven la carne.

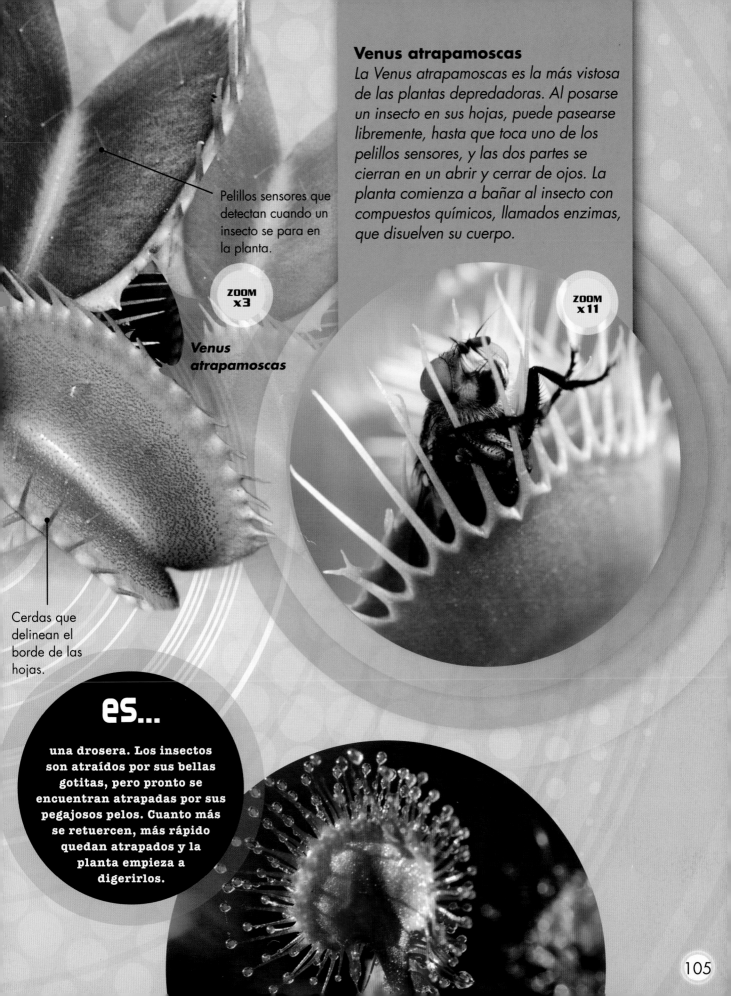

Venus atrapamoscas

La Venus atrapamoscas es la más vistosa de las plantas depredadoras. Al posarse un insecto en sus hojas, puede pasearse libremente, hasta que toca uno de los pelillos sensores, y las dos partes se cierran en un abrir y cerrar de ojos. La planta comienza a bañar al insecto con compuestos químicos, llamados enzimas, que disuelven su cuerpo.

Pelillos sensores que detectan cuando un insecto se para en la planta.

ZOOM x3

Venus atrapamoscas

ZOOM x11

Cerdas que delinean el borde de las hojas.

es...

una drosera. Los insectos son atraídos por sus bellas gotitas, pero pronto se encuentran atrapadas por sus pegajosos pelos. Cuanto más se retuercen, más rápido quedan atrapados y la planta empieza a digerirlos.

SOCIOS DE LAS PLANTAS

Los animales y las plantas dependen entre sí. Muchos animales comen plantas, pero también muchas plantas buscan un beneficio. Observa de cerca el complejo mundo de la naturaleza y encontrarás cómo los seres vivos a menudo viven en una extraña clase de armonía.

Favorecen los frutos

Los murciélagos frugívoros hacen dos grandes favores a los árboles. Al comer del polen, accidentalmente polinizan las flores, lo que hace crecer los frutos. También dispersan las semillas del árbol al consumir los frutos. Las semillas pasan por su organismo y salen en las heces, listas para convertirse en nuevas plantas.

ZOOM x8

¿QUÉ es?

106

Agutí

Estos roedores son los únicos animales capaces de abrir la dura cáscara exterior de una nuez de Brasil. Tienen los dientes incisivos extremadamente fuertes y les crecen a medida que se les desgastan. Los árboles de estas nueces dependen de los agutíes para diseminar sus semillas y, si ellos se extinguieran, los árboles también lo harían.

Café de civeta

Las civetas de las palmeras disfrutan las sabrosas bayas jugosas del café. Digieren en parte las semillas y el resto sale en las heces y pueden germinar. Parece extraño, pero la gente recoge esas semillas —los granos de café— para molerlas y preparar un delicioso café, ¡que es el más caro del mundo!

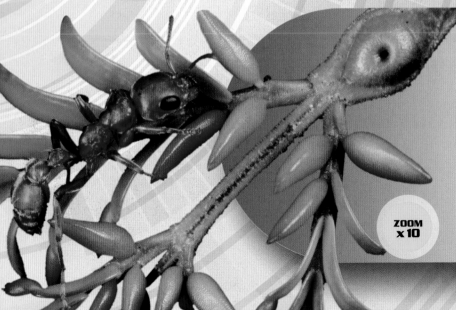

ZOOM x 10

Inquilinos bienvenidos

Los árboles de acacia aman a las hormigas como inquilinos. Las hormigas no sólo atacan las plagas, sino destruyen las plantas cercanas que roben la luz o el agua a la acacia. A cambio, el árbol recompensa a sus hormigas, formando gotitas naranja de alimento en sus hojas, con las que alimentan a sus larvas (bebés).

HONGOS FRUTALES

¿Qué planta no es una planta? El hongo. Estos extraños seres vivos llevan una vida muy diferente de las plantas verdes. En vez de usar luz para producir alimentos, los hongos se alimentan de seres vivos o de restos muertos. Las setas, los **mohos** y las levaduras son diferentes tipos de hongos.

Matamoscas

ZOOM
x2

Redes bajo tierra

Los hongos no tienen raíces. Tienen pequeñas hebras alimentadoras llamadas hifas, que crecen a través del suelo, animal o planta del que se alimentan. Las hifas absorben nutrientes y se propagan en densas redes que cubren grandes distancias bajo tierra. Son los seres vivientes más grandes de la Tierra.

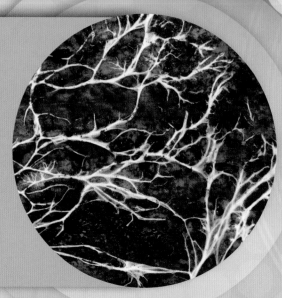

es...

un liquen. Los científicos creían que los líquenes eran un tipo de planta, hasta que los observaron de cerca y descubrieron que se forman por un hongo y un alga que viven juntos.

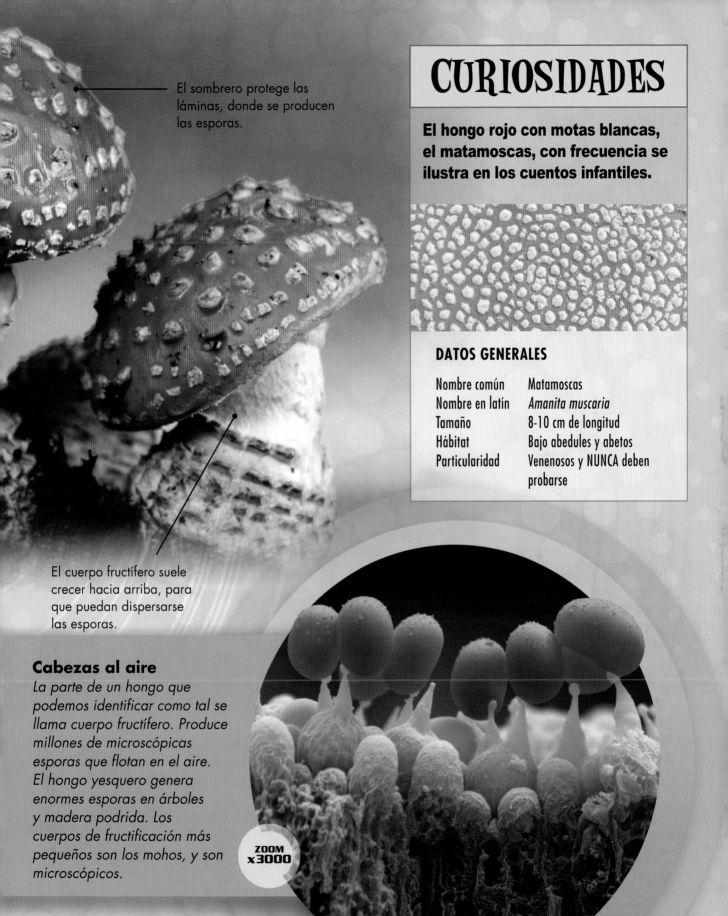

El sombrero protege las láminas, donde se producen las esporas.

El cuerpo fructífero suele crecer hacia arriba, para que puedan dispersarse las esporas.

CURIOSIDADES

El hongo rojo con motas blancas, el matamoscas, con frecuencia se ilustra en los cuentos infantiles.

DATOS GENERALES

Nombre común	Matamoscas
Nombre en latín	*Amanita muscaria*
Tamaño	8-10 cm de longitud
Hábitat	Bajo abedules y abetos
Particularidad	Venenosos y NUNCA deben probarse

Cabezas al aire

La parte de un hongo que podemos identificar como tal se llama cuerpo fructífero. Produce millones de microscópicas esporas que flotan en el aire. El hongo yesquero genera enormes esporas en árboles y madera podrida. Los cuerpos de fructificación más pequeños son los mohos, y son microscópicos.

ZOOM x3000

USA TUS OJOS

Mira con detalle estos acercamientos que aparecen por todo el libro. ¿Puedes reconocer alguno de ellos con sólo mirarlo? ¿Hay alguna pista, como color o forma, que te ayuden a descubrir dónde has visto estas imágenes antes?

1 *Soy un alga superfuerte con sílice que me endurece.*

2 *¿No es una maravilla la naturaleza? Mira qué bien empacada estoy pero, ¿qué soy?*

3 *Somos pequeños, pero resistentes y sobrevivimos a largos viajes, ¡que suelen ser sobre insectos!*

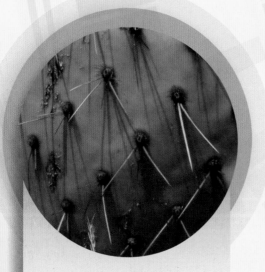

4 *¡Ay!, estas afiladas espinas hacen un trabajo importante.*

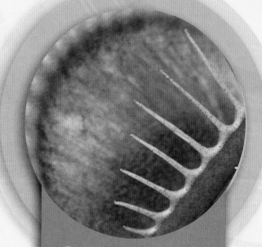

5 *¡Acércate, me encantaría abrazarte!*

6 Somos pequeñas y apetitosas, las hormigas nos adoran. ¿Qué somos?

7 Gigantes espinas cubren mis tallos. ¡Soy espantosa!

8 Puedo ser linda pero escondo un temible secreto. ¿Sabes lo que soy yo?

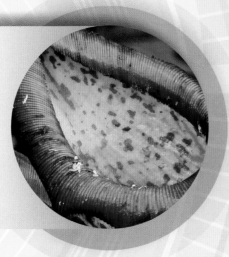

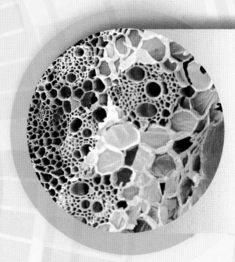

9 Córtame a la mitad, toma una delgada rebanada de mí y mírame bajo el microscopio.

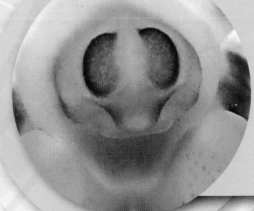

11 Mi buen aspecto atrae a la gente, pero deseo impresionar a esas bellas abejas.

10 Sopla son suavidad y úsame para saber la hora.

GLOSARIO

Afelpadas Suaves, finas y esponjosas. Son las plumas ideales para mantener al ave abrigada.

Alevín Pez bebé. Cuando salen del huevo a veces se les llama larvas.

Algas Plantas simples que realizan fotosíntesis, pero no tienen tallos ni raíces verdaderos. Las algas no producen flores. Las algas pueden ser marinas.

Antenas Órganos largos y delgados en la cabeza de un animal que le ayudan a detectar lo que está sucediendo a su alrededor. Por lo general, ayudan al tacto, olfato y gusto.

Antera Parte del estambre que aloja el polen.

Barba Filamento parecido a un cabello que crece del tallo principal de la pluma.

Bárbula Filamento diminuto que crece de una barba.

Branquias Órganos que se utilizan para tomar oxígeno del agua y expulsar del cuerpo el gas de desecho (dióxido de carbono). Los peces tienen branquias.

Cadena alimenticia Una cadena de animales que dependen uno de otro para alimentarse. Las plantas normalmente están en la parte inferior de la cadena alimenticia, son comidas por un animal, el cual es comido por otro animal, y así sucesivamente.

Calentamiento global Calentamiento de la atmósfera de la Tierra. Esto significa que los océanos también cada vez se calientan más.

Camuflaje Colores o diseños que ayudan a un animal para permanecer oculto a la vista.

Capullo Saco de seda que teje un insecto para proteger la pupa.

Carroñera Dicho de un animal cuya forma de alimentación consiste en buscar cualquier comida disponible, incluso animales que murieron de forma natural, y comérselos.

Célula Las cosas vivas se componen de células, que a menudo se describen como los bloques de construcción de los organismos.

Celulosa Sustancia dura que recubre las paredes de las células vegetales, dándoles fuerza y estructura.

Ciclo de vida Periodo en que un animal nace, crece, se reproduce y muere con el tiempo.

Cigarra Insecto marrón o verde que pertenece a la misma familia de los grillos y saltamontes.

Colonia Grupo de animales que viven juntos.

Cresa o **gusano** Insectos jóvenes de cuerpo blando; se llaman larvas, pero también a veces se les llama gusanos o cresas.

Cresta Plumas decorativas que muchas aves tienen en la cabeza. Se pueden utilizar para impresionar a la pareja.

Crustáceo Animal con cuatro o más pares de extremidades, un cuerpo dividido en segmentos y un exoesqueleto duro. La mayoría de los crustáceos viven en el agua.

Cutícula Piel exterior dura de un insecto.

Enredadera Planta que crece alrededor de otra planta.

Envergadura Medida del largo de las alas estiradas de un ave. La medida se toma de punta a punta.

Equinodermo Animal marino que a menudo es de forma circular y tiene una simetría pentámera. Los erizos de mar, estrellas de mar y ofiuras son equinodermos.

Espora Unidad de reproducción de algunas plantas simples y hongos. Las esporas pueden, en las circunstancias adecuadas, convertirse en otra planta.

Estambre Parte masculina de una flor. Tiene dos partes: un filamento y una antera recubierta de polen en su parte superior.

Estigma Parte femenina de una flor que recibe el polen durante la polinización.

Fecundar Unión de una célula sexual masculina con una célula sexual femenina. Después de la fecundación, puede crecer una semilla.

Flósculo Pequeña flor que es una de las muchas que componen una inflorescencia.

Fotóforo Órgano que produce luz.

Fotosíntesis Proceso por el cual las plantas utilizan la luz del Sol para producir alimento.

Fronda Parte de un helecho parecido a una hoja.

Gen Las células animales contienen genes, los cuales llevan toda la información necesaria para que el animal viva, crezca y se reproduzca.

Germinación Proceso de crecimiento de una semilla.

Helecho Plantas con frondas llenas de hojas. No tienen flores, y producen esporas en lugar de semillas.

Hepática Planta simple con hojas que tienen lóbulos. Las hepáticas viven en lugares húmedos y no les crecen flores.

Invertebrado Animal que no tiene columna vertebral. Los moluscos, gusanos e insectos son invertebrados.

Iridiscencia Destello de colores distintos, por lo general como los del arcoíris, que parecen cambiar al verse desde diferentes ángulos.

Jugo digestivo Poderoso líquido que produce el organismo de un animal para descomponer los alimentos que digiere en partes más pequeñas con el fin de absorberlos.

Larva Gusano joven de cuerpo suave. Con el tiempo cambia y crece hasta llegar a ser adulto.

Lente Objeto transparente con lados curvos que recoge y concentra los rayos de luz. Las lentes de los ojos de los animales enfocan los rayos de luz en la parte posterior del ojo, lo que les permiten ver. Las lentes de las cámaras y los microscopios son de cristal y pueden ampliar una imagen.

Lente macro Accesorio que se utiliza en una cámara para tomar fotografías de cerca, por ejemplo a un insecto.

Mandíbula Piezas bucales de un insecto.

Mántido Este insecto también es conocido como mantis y se relaciona con la cucaracha.

Membrana Capa delgada, como una sábana, que separa las partes internas del cuerpo de un animal o hace un forro alrededor de sus órganos.

Metamorfosis Proceso que vive un insecto joven, o larva, para transformarse en un adulto.

Moho Hongos que comúnmente crecen en los alimentos o en la materia en descomposición. Son organismos muy pequeños, pero pueden convertirse en grandes colonias y causar enfermedades.

Molusco Invertebrado con un cuerpo blando que por lo general vive en lugares húmedos o en un hábitat de agua, como el océano. Los caracoles, pulpos, crustáceos y calamares son moluscos. A la mayoría de los moluscos les crecen conchas.

Muda Cambio de piel o cutícula de un insecto al momento de crecer.

Nectario Parte de una flor que produce un líquido dulce llamado néctar. El néctar atrae los insectos a la planta.

Nidada Todos los huevos que pone la madre al mismo tiempo.

Nutriente Sustancia que ayuda a vivir y crecer a un organismo.

Ojo simulado Algunos animales tienen diseños en su cuerpo que se asemejan a los ojos de animales más grandes. Estos ojos simulados les ayudan a ahuyentar a los depredadores.

Órgano Área del cuerpo que realiza una función especial, como cerebro, pulmones o corazón.

Oxígeno Gas que producen las plantas y que respiran los animales para vivir.

Parásito Ser vivo que sobrevive alimentándose de otro animal o planta (conocido como "huésped), o que vive dentro del huésped. Los parásitos siempre dañan al huésped.

Pigmento Compuesto químico que da color a un animal.

Pluma Cada una de las piezas de que está cubierto el cuerpo de las aves.

Polen Polvo amarillo de los estambres de una flor. Cada grano de polen contiene una sola célula sexual masculina. Si se combina con el óvulo de una planta, el óvulo es fecundado, y puede crecer una semilla.

Polinización Es cuando se transfiere el polen a la parte femenina de una flor.

Probóscide Pieza bucal delgada y larga por la que algunos insectos absorben líquido.

Proteína Sustancias esenciales que todos los seres vivos necesitan para crecer, porque las células están hechas de proteínas.

Pupa Etapa del ciclo de vida de un insecto cuando está pasando por el cambio de larva a adulto. Vive en una envoltura dura, llamada crisálida, que la protege en este momento.

Queratina Sustancia que se usa en la naturaleza para formar la piel, uñas, cabello, escamas, pezuñas y plumas.

Raquis Tallo central de una pluma.

Semilla Unidad de reproducción de la planta. Puede, en las circunstancias adecuadas, convertirse en otra planta.

Serie de Fibonacci Serie de números en la que cada número es la suma de los dos números anteriores, por ejemplo, 1, 1, 2, 3, 5, 8, etcétera.

Sílice Mineral duro que se produce de forma natural en algunas plantas.

Talones Poderosa pata con garras de un ave rapaz.

Tropical Región de la Tierra cerca del Ecuador, entre el Trópico de cáncer y el Trópico de capricornio. Las zonas tropicales tienen días y noches de duración similar y clima cálido.

Ultravioleta Tipo de luz que no puede ser vista por los humanos, pero es visible para muchos otros animales, especialmente los insectos.

Veneno Tipo de sustancia que fabrican los animales y lo inyectan dentro del cuerpo de otro animal, a través de mordeduras o picaduras.

ÍNDICE

NOTAS PARA LOS PADRES Y MAESTROS

La fotografía y la microscopía son dos elementos de la vida cotidiana que aplican la física al campo de la luz y las lentes. Busque algunos libros en su biblioteca local o haga uso de Internet* para localizar diagramas que muestren cómo las lentes curvan (refractan) la luz que pasa a través de ellas. Mire los diagramas que muestran lentes convexas y cóncavas para descubrir cómo cambia el efecto la forma de la lente. Juntos pueden resolver cuál de estos dos tipos de lente se usa en los microscopios, telescopios y binoculares. También puede utilizar Internet para explorar el papel de las lentes en el ojo humano, y cómo las lentes correctoras de los anteojos se usan para mejorar la vista.

En un día soleado, puede demostrar el poder de enfoque de una lente. Mantenga una lente de aumento por encima de un pedazo de papel colocado bajo la luz del sol. Incline la lente de modo que la luz se concentre en el papel en forma de un pequeño punto brillante. A medida que se calienta, el papel saca humo y se quema. Asegúrese de mantener el pelo y la ropa lejos del papel, ya que podría incendiarse.

Es fácil hacer una lente de agua que muestre cómo incluso una lente simple puede ampliar las imágenes. Coloque un pedazo de película plástica transparente sobre un pedazo de texto de periódico. Utilice un gotero o una cucharita para poner una sola gota de agua sobre el plástico. Notará que el texto debajo de la gota de agua se amplía. Averigüe qué sucede cuando la gota es más grande o más pequeña.

Dé un paseo por el parque con algunos envases de plástico, una lupa, un cuaderno, una regla y algunos lápices. Vea cuántos insectos puede recolectar en sus envases. Mírelos de cerca con la lupa y haga una lista de todos ellos. Si no sabe el nombre de un insecto, haga un dibujo de él o tome su foto con un teléfono móvil y consulte un libro o Internet para identificarlo cuando llegue a casa. ¿Cuáles tienen manchas y cuáles tienen alas? ¿Cuántas patas tiene? ¿Alguno tiene pinzas? ¿Cuáles podrían estar camuflados? Al mirar los insectos asegúrese de tomarlos suavemente para no hacerles daño.

Dé un paseo al aire libre y escuche los cantos de los pájaros. Cuente los diferentes tipos de aves que pueda oír. ¿Puede imitar los cantos que escucha? Cuando usted vea un ave puede escribir una nota con lo que la identifica, como el tamaño, color, longitud de la cola y forma del pico. Mientras camina observe el suelo para buscar plumas tiradas. Llévelas a casa y úselas como el inicio de un libro de recortes para localización de aves. En casa, haga un diario del canto de las aves para saber en qué momento del día cantan más. Algunas aves son más activas durante la noche y otras son más ruidosas por la mañana. También hay que aguzar el oído para escuchar el sonido de los polluelos en sus nidos. ¿Por qué cree que hacen tanto barullo? ¿Sabe qué aves son ésas? Mire de cerca el mundo de las aves con unos binoculares y un libro de identificación. Esta actividad enseñará a los niños la satisfacción de estar en silencio y observar.

Las pozas son un magnífico lugar para echar un vistazo a lo que vive en nuestros mares y océanos. Haga un viaje a la playa y trate de encontrar una poza pequeña en la que pueda observar. Recoja piedras, conchas y trozos de algas, y mírelas de cerca. Una vez que haya establecido que el agua desvía la luz, anime a su niño a experimentar con la forma en que una imagen puede distorsionarse cuando se mira a través del agua. ¿Los colores de una concha parecen más brillantes o más opacos cuando están bajo el agua? Comente qué animal podría haber vivido en las conchas y por qué podrían estar vacías. ¿Se habrá comido un depredador lo que había adentro? Si encuentra algunas conchas con animales que aún vivan en ellas, déjelas en donde las encontró: ¡aún podrían ser la casa de alguien!

La fotografía bajo el agua puede ser problemática. Comente los problemas que puedan surgir, y cómo podrían superarse. Utilice Internet para investigar las cámaras submarinas y cómo funcionan. Busque vehículos operados a control remoto (ROV, por sus siglas en inglés) y sumergibles de aguas profundas, como *Alvin*, para saber cómo han descubierto los científicos y exploradores algunos de los secretos más profundos del océano.

Ayude a los niños a explorar la manera en que todos usamos las plantas. Platíqueles sobre cómo se utilizan las semillas de trigo y la levadura para hacer pan. Descubra cómo crece el algodón y se convierte en tejido. Identifique cuántos artículos de uso cotidiano, como lápices, papel y ropa de cama, están hechos de materiales vegetales. En su parque local busque hojas, semillas y frutos secos en el suelo y llévelos a casa… si cree que no le importará a ningún animal. Enséñeles la diferencia entre una nuez, una semilla, una flor y una hoja. Se puede trazar su contorno y esos dibujos después se pueden colorear. También puede llevar papel y lápiz a un bosque y frotar la corteza de varios árboles diferentes con ellos. ¿Cuál es el propósito de la corteza y cómo protege los árboles?

Enseñe a los niños a respetar la fauna silvestre que los rodea; pueden observarla, visitar la playa y conocer el mundo que los rodea sin dañarlo. Motívelos para hacerles entender que las plantas suelen ser los hábitats y fuentes alimenticias de los animales, y que no se debe molestar a los animales y sus hogares. Cuando salga a caminar asegúrese de dar un buen ejemplo al dejar el entorno limpio y recoger cualquier basura que pudiera encontrar.

Estudiar la manera de proteger el medio ambiente es una buena manera de animar a los niños a apreciar el mundo natural. También recuerde a los niños que algunas plantas, como las ortigas, pueden picar o ser tóxicas, y otras tienen espinas, por lo que deben tener mucho cuidado cuando están explorando.

Muchos naturalistas descubren su amor por la fauna siendo niños, observando los animales, dibujándolos o sacándoles fotografías, y tomando notas sobre su comportamiento.

*Los editores no pueden aceptar ninguna responsabilidad por el contenido de los sitios *web* de Internet, incluyendo los sitios *web* de terceros.